SEIS COISAS IMPOSSÍVEIS

Um choque de realidade de cada vez, por favor!

fiona wood

Tradução
Ana Paula Corradini

Novo Conceito

Publicado originalmente por Pan Macmillan Australia Pty Limited
Publicado sob acordo com Jill Grinberg Literary Management LLC e Sandra Bruna Agencia Literaria, SL
Título original: Six impossible things

1ª Impressão — 2013

Produção Editorial:
Equipe Novo Conceito
Impressão e Acabamento RR Donnelley 170913

Este livro segue as regras da Nova Ortografia da Língua Portuguesa.

Dados Internacionais de Catalogação na Publicação (CIP)
(Câmara Brasileira do Livro, SP, Brasil)

Wood, Fiona
Seis coisas impossíveis / Fiona Wood ; tradução Ana Paula Corradini. -- 1. ed. -- Ribeirão Preto, SP : Novo Conceito Editora, 2013.

Título original: Six impossible things.
ISBN 978-85-8163-325-1

1. Ficção australiana I. Título.

13-09588 CDD-823

Índices para catálogo sistemático:
1. Ficção : Literatura australiana 823

Novo Conceito

Rua Dr. Hugo Fortes, 1885 — Parque Industrial Lagoinha
14095-260 – Ribeirão Preto – SP
www.editoranovoconceito.com.br

Para Zoe e George.

Prólogo

Conheço uma menina.

Sei de cor tudo sobre ela. Eu a conheço de todas as maneiras possíveis, menos de uma: de verdade.

O nome dela é Estelle. Fico até sem ar por causa dela.

Ela desfila sua beleza – sim, como o firmamento sem nuvens numa noite estrelada –, sempre com os fones de ouvido do iPod, ligado o tempo todo – é a trilha sonora de sua vida.

Ela parou de roer as unhas, exceto a do mindinho da mão esquerda.

Às vezes ela morde de leve a costura interna dos punhos do agasalho da escola.

Ela é filha única. Assim como eu.

Ela toca violoncelo.

Ela gosta de *mocaccino*. E de milk-shake de banana feito com xarope de banana, e não banana de verdade.

E daquele chocolate Cherry Ripe. Ela envia Cherry Ripe a uma amiga que mora em Nova York. Lá eles não o vendem.

Ela tem mais de um amigo. Diferentemente de mim.

Ela mora aqui na rua. Ao lado da minha casa.

Ela ri bastante.

Ela e eu temos três bandas em comum dentre as que consideramos as cinco melhores.

Os escritores prediletos dela são Georgette Heyer e J.D. Salinger.

Não posso contar a você como sei tudo isso sobre alguém com quem nunca conversei.

Capítulo 1

Se você é capaz de deixar de lado o lance de alguém ter acabado de morrer, receber herança é uma coisa boa, não é? Um golpe de sorte. As circunstâncias a seu favor. Mas, quando aconteceu conosco, o efeito foi inverso. Tudo ficou bem pior. E rapidamente.

As coisas não estavam dando certo no trabalho do meu pai. Mesmo numa casa do tamanho da nossa, eu conseguia escutar as brigas. Nossa vida aparentemente confortável era uma ilusão sustentada por uma conta no vermelho. Estava tudo prestes a desmoronar. Nós desmoronaríamos junto.

Os problemas com dinheiro foram só o começo. Ao ouvir a conversa deles no corredor, numa noite, compreendi com uma pontada no coração que, pelo jeito, meus pais nem se gostavam mais. Mas desde quando? Sorria! Somos nós. Nós parecemos tão felizes. Suspensos na ponte do Brooklyn, comendo falafel no Marais, debaixo d'água com conchas azuis em Green Island.

O que deu errado? Quando? E como é que não percebi?

Será que eu fui como um sapo que não percebe que a água está esquentando até ser tarde demais e ele virar sopa?

Quando Adelaide, a tia-avó da minha mãe, morreu e deixou uma casa para ela, eu pensei que a pressão fosse diminuir. E diminuiu mesmo, mas não do jeito que eu esperava. Um nanossegundo depois, meu pai soltou a bomba – o negócio da família estava nas mãos dos interventores, ele declarara falência, ele era gay e estava saindo de casa.

Gente, por favor, um choque de virar a vida de ponta-cabeça por vez, tive vontade de dizer.

• • •

Rolou um leilão da casa. Isso acontece quando o banco vende a casa da gente porque basicamente é o dono dela. Os credores – o pessoal a quem meu pai devia dinheiro – mandaram os interventores, que levaram todas as nossas coisas embora. É como mudar de casa, mas sem ver o caminhão de mudança de novo.

Josh Whitters, da minha escola, passou de bike quando eles estavam carregando o caminhão.

– Pelo jeito você está mudando de casa, Cerreil – disse ele.

– Seu poder de observação é impecável, Whitters. – Fiquei pensando se ele sabia da história toda.

– Ouvi dizer que seu pai perdeu tudo.

Ele sabia.

– É.

– Seu loser.

E foi embora.

Tenho quase certeza de que ele não viu os caras colocando meu pufe das Tartarugas Ninja no caminhão. Eu sei, devia ter dado aquilo embora havia anos.

Geralmente, quando um negócio vai à falência, as pessoas pelo menos conseguem ficar com suas coisas pessoais, mas, no nosso caso, tudo era propriedade da empresa.

Minha mãe e eu escondemos umas coisas na casa de Alice, uma amiga dela – coisas de cozinha, livros, roupas, meus gibis e uma TV. E pudemos ficar com as fotografias, mas não com os porta-retratos de prata. Nossa vida inteira coube em algumas caixas.

Os interventores passaram pela nossa casa como uma praga de gafanhotos. Foi horrível entrar naquela casa vazia depois. Eu não ouvia eco lá dentro desde que tínhamos nos mudado para lá. Naquela época, era um som que lembrava todas as coisas legais que eu ainda tinha para descobrir. Mas agora soava apenas como O Fim, e coisas que eu achava melhor nem ter ficado sabendo.

Fomos arrancados pelas raízes. Liquidados. Acabados. Isso para não dizer desertados.

Whitters tinha razão. Eu me senti mesmo como um loser.

Capítulo 2

A lista:

1) Beijar Estelle. Eu sei. Ainda nem a conheço. Tecnicamente. Mesmo assim, vem em primeiro lugar.
2) Arrumar um emprego. A situação financeira aqui não poderia ser pior. Se o negócio da minha mãe for por água abaixo também, a responsabilidade de colocar dinheiro em casa é minha.
3) Dar uma animada na minha mãe. As chances de o negócio dar errado diminuem se ela se sentir melhor.
4) Não é que eu queira ser legal nem famosinho na escola, mas vou tentar não ser um nerd/loser completo.
5) Eu deveria falar com meu pai quando ele liga. Mas como, se nem vou aguentar ouvir a resposta para a única pergunta que quero fazer: por que você largou a gente assim?
6) O item existencial. Descobrir como ser bom. Não quero acabar sendo um cara que larga a família sem mais nem menos.

Impossível.
Impossível.
Impossível.
Impossível.
Impossível.
Impossível.

Capítulo 3

Quando eu acordo, nunca demora mais que alguns segundos para eu me lembrar de tudo de novo, daquilo que está rolando na real. *Pof.* Um soco no estômago – a raiva sorri maliciosamente para mim. A depressão está ao lado dela, prendendo-me à cama. Faz um mês que meu pai foi embora, e eu e minha mãe nos mudamos para a casa da tia-avó dela, Adelaide. Quer dizer, ex-tia-avó. Aqui faz o maior frio. Meus dedos estão tão gelados que nem consigo fechar a mão.

A gente precisa deixar as janelas abertas por causa do cheiro. O aquecedor só pode ser usado em caso de emergência, por questões econômicas. Só não morro de frio quando estou na cama, e demora um tempo para degelar porque os cobertores elétricos já eram.

Tem seis quartos aqui, incluindo aquele onde Adelaide morreu. Aquela porta sempre fica fechada. Escolher meu quarto foi fácil: vim direto para aquele que fedia menos. Estou passando bastante tempo na cama desde que a gente se mudou para cá. É como se meu corpo estivesse me mandando hibernar – e estou obedecendo. Vai ser um assunto fascinante para aquela famosa redação "Minhas férias".

E olha só: no final das contas, nem somos os donos da casa. Minha mãe herdou apenas o direito de usufruir da casa enquanto estiver viva. Quando minha mãe morrer, a casa será tombada pelo Patrimônio Histórico e irá para o governo, não para mim.

Se ela morrer logo, eu vou para o olho da rua. Ou vou ter de morar com o meu pai. Acho que isso me forçaria a voltar a falar com ele, pelo menos. É uma pena ela não poder vender a casa, que vale um dinheirão. Eu vi a vitrine da imobiliária aqui perto. Para deixar esse lance de herança ainda mais bizarro, tem um cara que mora lá nos fundos, no antigo estábulo. Pelo jeito, também faz parte da herança. Nós ainda não fomos dizer *oi*. Ele está viajando.

Minha mãe não está curtindo muito esse novo jeito de viver. Mas, como ela diz, pelo menos temos um teto sobre a cabeça – o que é mais do que teríamos se não fosse a herança. Estamos totalmente lisos. O carro também vai embora no fim do mês, quando o contrato de *leasing* acabar.

Bom, não conseguiríamos pagar a gasolina mesmo.

Havia uma chance de Adelaide ter deixado um dinheiro para a minha mãe, mas não rolou. Ela deixou a grana para a Galeria Nacional, que eu duvido que precise desse dinheiro tanto quanto nós.

A única coisa que o advogado deu para a minha mãe quando nos encontramos com ele foi um porta-joias preto de ébano. Os olhos da minha mãe brilharam, mas deu para ver que o cara ficou meio sem graça. Então eu soube que ela não encontraria aquilo que estava procurando.

– Quem ficou com os diamantes? – perguntou ela finalmente.

– O dono de uma loja aqui perto.

– Está bem – disse minha mãe.

O porta-joias continha contas de vidro transparentes com listras brancas, um carretel de madeira com linha cor de laranja, alguns bilhetes de trem, nove alfinetinhos dourados, algumas moedas de 1 e 2 centavos e um punhado de insetos e animais entalhados a mão.

– Creio que eles tenham valor sentimental, não? – perguntou ele, a comiseração escorrendo pelas riscas do seu terno.

Minha mãe sorriu.

– Eu brincava com eles quando era pequena. Eu os colocava em fila no batente da janela.

Tempo bom. Ainda bem que eu não era criança naquela época.

O advogado pigarreou, ficou mexendo no punho da camisa e deu uma olhada de relance no relógio. É claro que ele tinha outros clientes esperando sua vez de serem decepcionados.

– A senhora tem interesse em contestar o testamento? – perguntou ele.

– Não, absolutamente. Adelaide era lúcida.

O advogado pareceu muito satisfeito. Você até pode achar que não, porque ele poderia ganhar um dinheiro a mais, mas deu para perceber que ele achara a resposta da minha mãe muito honrosa. Eu também achei.

A gente herdou o cachorro também. Howard. Embora tecnicamente, na contabilidade da herança, é um número negativo, porque teremos de dar comida a ele. É claro que ser honrosa não impediu minha mãe de ficar doida da vida. Tive de falar para ela diminuir a velocidade no caminho de casa. Não temos grana para pagar multas de trânsito. E, sim, estamos no fundo do poço, mas tenho certeza de que nenhum de nós dois está a fim de morrer ainda. Ela estava fazendo um barulho meio parecido com um rugido assustador, por entre os dentes cerrados.

– Quer conversar? – perguntei. Esperando obviamente que a resposta fosse "não".

– Conversar, rá-rá. Não sei que sentido isso tudo tem, Dan – disse ela. Achei que estivesse falando do sentido da vida, da existência etc., e não de conversar. Estava na cara que ela precisava de um papo com um psicólogo, sei lá. Mas essa habilidade ainda não faz parte do meu currículo.

– Bom, acho que a gente pode ver o copo meio cheio, não é?

– Isso só funciona quando há alguma coisa dentro do copo – retrucou. – Infelizmente, nosso copo está vazio.

– Mas há a casa.

– Tá, a casa. Um mausoléu, com certeza, mas pelo menos é melhor que a rua.

Nível de estresse: extremo. É como se ela fosse um pote de vidro com a tampa fechada com força demais, e lá dentro do vidro morassem picles, picles com ódio do mundo, e eles estivessem fermentando e prestes a explodir.

– No que você está pensando? – perguntou.

– No almoço.

Ela soltou um grunhido. Mas foi melhor que o rugido.

Melhor que a rua. Melhor que o rugido. E as coisas poderiam ser piores. Mas não muito.

• • •

Agora a nossa casa fica exatamente no meio de uma fileira de cinco casas. É um sobrado enorme, em estilo vitoriano gótico. O telhado forma uma ponta que se ergue acima de todas as casas, e sua beirada parece ter sido cortada com aquelas tesouras de picotar. Há uma sacada com pilares de tijolos no primeiro andar e umas gargulazinhas apoiadas nos cotovelos, com cara de poucos amigos, em cada canto. Dá para acreditar que essa casa consta em um livro sobre arquitetura australiana? No livro, eles a chamam de "exemplar significativo". É horrível; o tipo de lugar onde se poderia gravar um filme de terror. Os tijolinhos à vista vermelhos escureceram com o tempo, ou com a poluição, ou, sei lá, as duas coisas.

A gente demorou uns cinco minutos para fazer a mudança.

Foi nesse dia que vi Estelle pela primeira vez.

Invisível atrás de uma cortina meio transparente, eu estava na janela da sacada na parte da frente da casa, pensando em como queria estar em qualquer outro lugar no mundo, querendo que fosse dois meses antes e eu tivesse um poder mutante que me deixaria mudar o rumo da história, quando ela passou pela rua, distraída, totalmente inconsciente dos abalos sísmicos que provocava em meu coração a cada passo.

Ela parou do lado de fora de nossa casa e ficou olhando para os galhos pelados da árvore perto da entrada. Depois de checar se não havia ninguém por perto, começou a girar lentamente, levando a mão aos olhos para emoldurar sua visão do céu cheio de galhos secos.

E então ela entrou na casa ao lado, meio tonta, sorrindo e levando meu coração.

Ela gosta desse tipo de céu.

Capítulo 4

Aquele foi o último dia de aula, e passamos as férias todas aqui.

Isso é mais ou menos o que eu tenho feito:

1) Dormido – como já disse.
2) Tentado ver a Estelle de novo. Eu a vi várias vezes. Conversar, nem pensar.
3) Tentado conhecer Howard. O Howard enigmático. O Howard sabe-tudo. Ele me encara, mas não diz muita coisa.
4) Ouvido a parte da minha mãe na conversa quando ela fala com meu pai sobre mim ao telefone.
5) Ficado preocupado com eles e com a escola nova. E tentado não pensar mais nisso...
6) Seguido os caras do Patrimônio Histórico enquanto eles catalogam os itens da casa.

Dava para ver que o homem dos móveis, Bryce, ficara irritado, mas Posy, a moça dos vidros e porcelanas, era legal. No final, a compaixão dela se tornou pior que a irritação dele. Ela me perguntava quais eram meus planos para aquele dia enquanto checava tudo a fundo e tomava notas como "par de pratos do primeiro período Worcester". Nós dois ficávamos sem graça quando a resposta era sempre "não muita coisa", ou seja, nada.

Em algum momento da segunda semana, quando o comentário sobre como era uma pena não ser verão ou a gente não poder ir nadar na piscina comunitária em Fitzroy Baths já enchera o saco, ela disse:

– Entrar para um clube pode ser uma boa maneira de conhecer pessoas, Dan. O que você gosta de fazer?

– De ler. Na maior parte do tempo.

Eu só queria que ela se sentisse melhor...

– Tem xadrez também. Mas eu não gosto de gente que gosta de xadrez. Pelo menos, não das pessoas que eu conheci...

No último dia de trabalho dela, quando cada item da casa já fora catalogado, etiquetado, codificado e segurado, ela mencionou um telefone tipo CVV para jovens, como quem não quer nada.

– Não existe problema no mundo que não possa ser resolvido ao discutir o assunto. Na sua idade, às vezes as coisas parecem piores do que realmente são.

Suspirei.

– A situação não está muito boa, mas também não sou suicida. E eu tenho um amigo, sim. Ele vai voltar logo.

Talvez seja sorte você ter um amigo.

O meu, Fred, está passando as férias na casa da mãe. Ela está morando por seis meses em Londres, em Chelsea, estudando sobre lingerie do período georgiano na National Art Library. É uma tese, e não um fetiche.

Pelo restante dos seis meses Fred irá morar com seu pai e a madrasta, a famosa Plano B.

Uma das únicas duas coisas boas sobre a gente ter se mudado para cá é que agora moro mais perto da casa de Fred, o que será ótimo quando ele voltar.

– Além disso – eu disse, esperando deixar Posy mais tranquila –, quem cuidaria de Howard se eu cortasse os pulsos?

Eu era o novo vale-refeição de Howard, e ele não tirava o olho de mim. Ele sempre me olhava ao ouvir seu nome, com um olho só e uma orelha só em pé, e, mesmo em seu estado preferido de semiconsciência, sabia exatamente o que estava acontecendo.

Ah, e por falar nisso, essa casa fede por causa do cheiro de xixi de cachorro. A casa está encharcada, marinada em urina, de parede a parede. Estamos tentando dar um jeito nisso, mas, se você acha que desodorizante em spray misturado com o aroma de tapete mijado ajuda a melhorar o fedor original, você tem sorte de nunca ter sido obrigado a escolher entre os dois.

Howard é parcialmente responsável, porém não é culpa dele. Ele deve ter passado um tempão preso em casa. Quando Adelaide morreu, ela já estava usando um penico à noite. O que é justo, afinal seria uma caminhada e tanto até o banheiro para uma senhorinha de 90 anos. E ela também tinha uns gatos. Pelo jeito, a turma toda tratava a casa como uma privada gigante. Os gatos foram embora.

Tudo precisa ser limpo com vapor. Minha mãe está brigando com o Patrimônio Histórico para resolver quem deveria pagar por isso.

– Um dia tudo ficará para eles mesmo, então por que ninguém coloca a mão no bolso para pagar essa porcaria de manutenção?

– Por nenhuma porcaria de razão aparente – respondi. Morro de rir quando ela tenta xingar com um jeitinho educado de mãe.

Ela sorriu com a minha surpresa.

– Ando nervosa demais.

– Jura?

Aquilo animou minha mãe um pouco. Algumas pessoas não acham que sarcasmo é engraçado, mas nós, sim, na nossa família. Ou nossa família recém-encolhida. Nossa família-agora-com-um-terço-a-menos.

Se você está pensando em como a minha mãe está lidando com esse negócio de marido gay, ela parece estar mais ou menos bem com a situação. Mas não dá para saber de verdade. Sempre quando eu pergunto como é que ela está se sentindo, ela responde na lata, mas muda de assunto. "Desprezada, mas forte", ela diz, ou "com raiva, mas bola pra frente", ou "magoada, mas não estou a fim de vingança".

Pelo menos não a escuto chorar à noite.

Nunca ouvi um pio também da casa ao lado, apesar de colar minha orelha em qualquer parte disponível da parede antes de lembrar que a tinta é provavelmente original e à base de chumbo, ou seja, tóxica. Acho que acabei de adicionar uma morte lenta à minha lista de preocupações de médio prazo.

O único barulho que ouço é de alguma coisa arranhando e caindo lá no sótão, às vezes.

Já investiguei esses barulhos e acabei encontrando umas coisas bem inesperadas lá em cima. Quando achei o que achei, tive de fazer uma escolha. Acho que fiz a escolha errada. Duas vezes. E ainda estou tentando descobrir por que fiz o que fiz.

Falei sobre isso com Howard. Bem que eu queria saber o que ele achou. Se eu tentasse adivinhar, diria que ele não curtiu muito. Mas é difícil dizer. Ainda estou no nível iniciante de "cachorrês", apesar de ele ser fluente em "humanês". E não estou falando só de inglês. Ele consegue ler pensamentos. É muito irritante.

Minha mãe até me ajuda quando o assunto são questões morais, mas ela anda meio distraída ultimamente, lidando com a separação e tentando montar seu próprio negócio. Rolou mais uma batalha com o Patrimônio Histórico. Ela teve de dar uma arrumada na cozinha – mandou instalar umas prateleiras, um fogão industrial e uma geladeira.

– E espero que os bichinhos tenham ido embora de vez – disse ela. – Aconteça o que acontecer, nunca conte nada disso aos clientes, Dan.

– Até eu sei que ratos não são os sócios dos sonhos numa confeitaria – respondi, levemente ofendido.

– Nem diga essa palavra! Ainda estou traumatizada!

Ela começará a fazer bolos de casamento. Acho que ninguém que acabou de sair de um casamento pensaria justamente nisso, porém nesta casa, além de sarcasmo, também há ironia.

Capítulo 5

Abro a porta para essa criatura sorridente de óculos e cheia de espinhas – meu amigo Fred.

– Meu amigo – digo.

Uma longa pausa.

– Meu amigo rock 'n' roll – ele responde.

A gente se mata de rir. É tão bom vê-lo de novo!

Essa palhaçada é uma música do Go-Betweens que minha mãe colocava para tocar no carro quando ia nos buscar na escola. Só rola uma bateria por um tempão entre as duas falas, e esperar pela segunda frase sempre nos fazia cair na gargalhada quando éramos pequenos.

Então minha mãe começava a rir também e dizia:

– Olha o respeito. É uma das minhas bandas favoritas.

É até meio chocante lembrar como ela era feliz, tão diferente de agora, com um sorriso corajoso quando ela consegue sorrir e um olhar de amargura quando acha que eu não estou olhando.

Eu dou um passo para trás e deixo Fred entrar.

A nova dimensão do fedor finalmente o atinge.

– Cara, o que é isso? Eu achei que você estivesse exagerando.

– Os primeiros cinco minutos são os piores, depois você não sente mais nada.

A gente faz uma pausa no corredor, e vê minha mãe ao telefone.

– E o que vou dar de comer para esse menino? Ele está crescendo. E isso ainda custa dinheiro, Rob, não importa a qual escola ele vá.

Fred e eu nos olhamos. Solto um "rã-rã". Se isso tivesse acontecido na frente de qualquer outra pessoa, eu ficaria morrendo de vergonha.

– Não será ruim assim para sempre – diz ele, baixinho. – Os primeiros meses são os piores.

Eu o levo até uma das salas de estar. Esse lugar é um museu. É como se o conteúdo de três casas enormes tivesse sido engolido por uma casona ainda maior.

Fazendo um gesto para a lareira, digo:

– Objetos de arte, Fred. Um banquete para os seus olhos.

– Ahã, valeu, porque para o nariz que não é.

Abro as cortinas desbotadas de veludo para jogar um pouco de luz na cena.

Fred olha ao redor.

– Caraca! Nunca vi tanta coisa assim!

Eu mostro alguns itens:

– Poltronas laqueadas no estilo regency com almofadas de pomba...

– Arqueadas? Mas não estou vendo arco nenhum.

– Laqueadas, com acabamento de laca. E almofadas...

– Essas almofadas estão cheias de quê?

– São só as penas da pomba. Não tem uma pomba morta dentro de cada almofada.

Fred me dá um soco de lado.

– Eu sei, ô vacilão.

Não tem nada mais legal que fazer coisas idiotas com um amigo. A não ser quando o negócio é ficar de olho em Estelle.

É estranho como agora eu tenho esse lance com Estelle, do qual Fred nem faz ideia. Ainda não é hora de contar tudo a ele.

– Essa aqui é uma mesa inglesa Pembroke, com o contorno de buxo incrustado. E isso aqui é uma caixa para guardar chá de Boulle – continuo, lembrando das coisas que Posy me contou.

– Como assim, chá de bule? – Fred quer saber.

– É marchetaria Boulle[1], concha de tartaruga com bronze incrustado. É o nome do cara que inventou esse negócio.

– Tá.

– E olha só isso. – Levo Fred até a escrivaninha. – Estilo rococó, com ouropel, é tipo uma liga de cobre que imita ouro, e olha só debaixo dela.

Fred senta no chão e olha por debaixo da escrivaninha.

– O acabamento não é muito bom, parece que nem lixaram direito – diz ele.

– É um sinal de autenticidade. As reproduções têm a parte de baixo bem lisa.

– E vale quanto?

– Mais de 50 mil.

Vejo a mente do meu amigo ir longe.

– Então a gente pode roubar esse negócio, substituir a mesa por uma cópia, fazer um documento de identidade falso, comprar passagens de avião para Los Angeles, pegar umas carteiras de motorista falsas e dirigir pelos Estados Unidos até Nova York, passar os melhores dias das nossas vidas e ainda voltar a tempo para o primeiro ano do colégio. E aí?

– Tá, mas seu plano tem uma pequena falha: eu não sei dirigir, nem com carteira falsa.

– Mas a gente aprende naquelas estradas bem largonas.

– Quer ver o meu quarto?

1. André-Charles Boulle (1642-1732). (N.E.)

– Claro.

Subimos. Howard vem trotando atrás da gente.

Meu quarto fica no último andar, na parte de trás da casa. Tem dois pares de janelas altas e dá para ver uma árvore lá fora. Enquanto Fred testa os truques que Howard sabe fazer, sentar e rolar, e começa a fazer amizade com ele, fico pensando que, se a gente estivesse num filme, eu poderia dar um pulo, me agarrar à árvore e descer. Mas isso aqui é a vida real, e eu não estou a fim de quebrar o pescoço, então uso a escada. Além disso, minha vida social não é tão intensa a ponto de eu ter de sair escondido. Minha mãe ficaria aliviada se me chamassem para ir a qualquer canto e me ajudaria a chegar lá. Ela está morrendo de culpa por eu ter sido obrigado a sair da minha escola por causa da nossa crise financeira. Porque eu sou inteligente e não sei mais o quê. Atividades extracurriculares, vestibular, você sabe como é.

Porém, nesse tempo todo que passei hibernando nessa cama barulhenta de ferro, enterrado sob pilhas de edredons de lã estampados e desbotados que absorveram minhas lágrimas, cheguei à conclusão de que esta é a minha grande chance de renovar minha antiga imagem e deixar esse lance de ser inteligente meio secreto. Eu sempre posso estudar sozinho mais a fundo, ou então desacelerar um pouco mesmo. Boiar, dar umas braçadas sem compromisso, tudo menos afundar…

Fred está estalando os dedos na minha cara.

– Volta, Dan. Você está com aquela cara de zumbi retardado – diz ele.

– Quê?

– Acabei de perguntar se você vai ficar bem amanhã.

– Estou um lixo.

Fred faz que sim com a cabeça.

– Foi mal eu ter viajado bem naquela época. Você já falou com o seu pai?

Faço que não com a cabeça.

– Não é porque ele é gay; é porque ele pisou na bola e deixou minha mãe nervosa…

Fred me entende.

– Eu sei que você não é um caipira homofóbico, Dan.

– Mas é tão estranho! É o meu pai.

– Eu sei.

– Meu pai é gay. – Ouço a incredulidade na minha própria voz. A ficha ainda não caiu, mas é um alívio dizer isso em voz alta.

– Fiz um pouco de pesquisa em Londres. É mais comum do que você pensa. Pai ou mãe aparentemente heterossexual, sabe?

Fred não tem vergonha de falar sobre nada. Ele é um cientista. Sempre pronto a aplicar clorofórmio e começar a dissecar. Mas esse assunto ainda está muito recente para mim, e acho que ele entende isso também. Ele está abrindo a porta, mas não entra com tudo.

– Vá lá em casa depois da aula, se estiver a fim. Eu não tenho aula até terça. A Plano B acha que eu preciso cortar o cabelo.

– Ela não sabe de nada – digo.

– Ah, trouxe uma coisa para você. Mas não é para ter um ataque, é só um lápis do British Museum.

Abro um sorriso, no entanto estou ficando até com enjoo por causa de amanhã. Depois que a vi de uniforme, me dei conta de que Estelle estuda na minha nova escola. E se eu estiver na turma dela? E se não estiver? O que é melhor: terror ou decepção?

Capítulo 6

Parece que fico pensando em Estelle na maior parte do tempo. É como se alguém tivesse mudado as minhas configurações para "Estelle" sem a minha permissão, ou se ela tivesse se tornado a imagem de proteção de tela do meu cérebro. O desejo se misturou com um sentimento nobre (totalmente extraterrestre) de querer oferecer a Estelle só o melhor de mim. O que complica, porque não sei o que existe de melhor em mim. Mas precisa ser mais do que isso aqui que está rolando agora.

Toda essa agitação e eu ainda nem falei com ela. O que ela vai achar de mim? Do meu eu meio loser? Do eu-tentando-esconder-que-sou-nerd?

Mas é pior do que não conseguir ser legal. Ainda por cima, estou passando por uma fase transitória meio esquisita. Não é que eu seja feio, tenho certeza de que não sou. Sou alto e mais para magro. E cresci bastante ultimamente, mas ainda não encorpei. Pedi para minha mãe comprar proteína em pó, mas com o orçamento da família no zero, a reação não foi nada positiva. E mais: minha experiência com meninas não é muito grande, ou, para falar a verdade, é zero. Eu nunca beijei uma menina. E tenho quase 15 anos.

Minha mãe me dá o saco de papel com meu almoço dentro, e olha para cima. É, agora sou mais alto que ela, que me diz, preocupada:

– Seja você mesmo.

Eu mesmo. Eu mesmo? E eu sei lá quem é esse? É como se eu fosse uma bolha sem forma, tentando parecer alguma coisa. No entanto, conheço bem as características que não estou a fim de compartilhar com um bando de estranhos.

1) Loser.
2) Nerd.
3) Pai gay.
4) Mãe sozinha, com um grande ponto de interrogação no quesito "estabilidade mental".
5) Sem dinheiro.
6) Refugiado de escola particular.

Não quero ser julgado, nem que alguém tenha pena de mim; só quero ficar pianinho enquanto vejo o que vai rolar ao meu redor.

A minha antiga escola tinha a variedade normal de grupos de atletas, gente que estuda muito para passar, nerds, um povo mais punk e as turminhas mais legais. E também o pessoal que não se enquadrava em nenhum deles, como eu. Tecnicamente, eu me qualificava para o grupo dos nerds, mas não estava a fim de ficar preso a eles.

Ficar de fora não é uma característica muito social, então foi sorte ter me tornado amigo de Fred.

Você provavelmente está pensando: se sou tão inteligente, então por que tive de sair da escola? Será que eu não tinha bolsa? Eu tinha, mas a bolsa só cobria metade da mensalidade. Minha mãe chegou lá para explicar a situação da família e ver se eles me dariam uma bolsa integral. Mas eles disseram não.

– Quem saiu perdendo foi a escola – ela disse. Mas vi que ela ficou arrasada.

O diretor disse que eles não podiam dar uma bolsa integral para um cara que passava meio despercebido. Ele devia estar falando da minha falta de talento para o esporte. Além disso, essas escolas particulares querem que você contribua para a "vida escolar", tipo aulas de música e debates. E eu nunca fui de falar muito na escola.

• • •

Cheguei cedo demais. Ficar andando por aqui é um castigo. Não conheço ninguém. Estou me sentindo um limão na banca de maçãs da feira. Estou com vontade de dar meia-volta e ir para casa. Mas me seguro. Nem sempre as pessoas conseguem uma segunda chance. Posso ser quem eu quiser. "Tímido", "brega", "nerd". Posso arrancar todos esses rótulos e deixar tudo para trás. Quem sabe eu consiga me enturmar? Eu posso ser uma maçã.

Ouço alguém gritar:

– Ei, idiota! Você. Idiota!

Olho para trás.

Por quê? Por que eu fui fazer isso?

O carinha que berrou e a turma dele caem na risada, histéricos.

– É, era só para ter certeza de que era você mesmo, idiota.

Eles não estão se aguentando. Mas que ótima maneira de começar o dia. Eles comemoram e dão tapinhas nas costas uns dos outros.

Não reaja. Não dê esse gosto a eles.

Acho que poderia ter sido pior: Estelle poderia ter visto isso. E, bem na hora, quando viro a cabeça para o prédio principal, lá estava ela, com duas amigas. Está na cara que elas viram tudo.

• • •

Então é o terror, e não a decepção. Estelle está na minha sala. E aquele cara idiota também. O nome dele é Jason Doyle, e seu apelido, que dá vontade de vomitar, é "Jayzo". A sala se dividiu em grupinhos diferentes: Jayzo e sua turma, os machos-alfa; o grupinho legal com sua interpretação criativa do uniforme da escola, todos ignorando o menino novo; alguns estranhos com cara de gente boa que me recebem com um aceno de cabeça, e que pelo jeito passam um tempão colocando piercings e torturando o próprio cabelo; um bando de nerds falando sobre matemática; as loiras com cara de Miss Estados Unidos. Por que ninguém diz para elas que isso é (nem pensar) (aimeudeus) (tipo) (total) (lixo) (gay) e (cara) (fala sério) (legal) ou (sei lá)? Já estou ligado. Elas só usam umas 20 palavras intercambiáveis, o que é bem eficiente, eu acho. O último conjunto é formado pela bela Estelle e suas duas belas amigas, que flutuam sobre a plebe com suas expressões imparciais e uma conversa necessária e em voz baixa. E também tem bastante "gente-plasma". Primeira impressão: sei lá o que tem lá dentro.

E não importa o quanto cada um deles tente ser diferente: todos os grupos têm uma coisa em comum, uma variante que eu pelo jeito pareço não ter. Na bagunça entre o toque do sinal e a entrada do professor na sala, vejo Jayzo oferecendo uma parede de músculos abdominais realmente impressionantes para ser socada. É ridículo como ele gosta de aparecer. Fico pensando na minha própria barriga reta, porém sem definição, e quase perco o ar. Tenho de fazer alguma coisa a respeito disso.

– Não, não senti nada – diz ele a Dannii, uma das meninas dos parênteses intercambiáveis. – Bate com força.

– Nem pensar. – Ela dá uma risadinha.

– O mais forte que você conseguir. Tá com medo de quê? De quebrar a mão?

Ela repete a rotina do soquinho ridículo e dá uma risadinha igualmente ridícula.

– Você é tão forte!

– Vai, mais forte. – E ele nota que estou olhando para eles. – O que você está olhando, sua bicha? Nunca viu um tanquinho assim antes?

Eu me viro para o outro lado.

– Idiota, estou falando com você.

Até parece que vou cair nessa de novo.

O professor chega bem nesse momento oportuno. Ele estuda a turma com uma cara de quem não está reconhecendo todos eles.

– Temos um aluno novo começando hoje. Quem é... – Ele dá uma olhada num bilhete. – Dan Cereal?

Alguém ri ao ouvir o nome.

– Cereill – respondo. – E se pronuncia "surreal".

Ele toca o bigode cortado rente com a ponta da língua e me mede de cima a baixo. Será que gosto de me meter em confusão? Será que estou tirando uma da cara dele? Ele não consegue decidir.

– Se você prefere, então é Cereill.

Sim, prefiro que meu sobrenome seja pronunciado corretamente. Mas devo ser louco, pelo jeito.

Ele faz o restante da chamada com a voz nasalada. As amigas de Estelle se chamam Uyen Nguyen e Janie Bacon.

• • •

Minhas falhas na vida social vão além de nunca ter beijado uma menina e ter uma barriga sem músculos. Nem sequer conheço uma menina. E mesmo no ensino fundamental, quando eu conhecia algumas, eu nunca estava na mesma sintonia que elas.

Eu era tímido, e a minha mãe me dizia "você tem de participar". Mas não deu muito certo. Ainda fico com vergonha ao me lembrar dos meus piores micos. No quinto ano, eu estava ao lado de uma menina de quem gostava, preparando-me para dizer alguma coisa, qualquer coisa, quando ela começou a conversar comigo.

– Tem um garoto que eu adoro de verdade – sussurrou ela. A gente tinha de desenhar um mapa das áreas dos parques nacionais no Território do Norte.

– Tem um Garoto que eu adoro também – retruquei, *participando*. – É aquele bombom de chocolate branco com a embalagem amarela e vermelha. Acho que só vem um em cada caixa.

– Estou falando de um menino, não de um bombom. É um amigo seu.

– Ah, é? Quem?

Mas estava na cara que o momento "confissões" chegara ao fim.

– Esquece.

Ela virou as costas para mim, apontando os joelhos para o corredor da sala. Ela não conseguia acreditar como eu fora imbecil. Nem eu.

Bom, o negócio só piorou desde então.

E agora meu plano de evitar o status de nerd e refugiado de escola particular está indo para o brejo com apenas um comentário sem noção do professor.

– Seu histórico escolar na Gresham é impressionante, Sr. Cereill. Espero que sua presença na aula de matemática seja uma inspiração para todos nós.

Talvez, quem sabe, se eu não disser absolutamente nada na aula, ainda haja uma chance de ficar pianinho nessa escola. Faço cara feia e fico ainda mais corcunda na minha cadeira. Alguém atrás de mim dá um chute tão forte no encosto que sinto minha coluna tremer.

As principais diferenças entre a minha antiga escola e a nova são de aparências. Minha escola antiga vivia empanturrada com gerações de mensalidades e doações para financiar melhorias e consertos que não acabavam nunca; assim, as aulas de música, os apitos dos juízes e as bolas de tênis quicando sempre vinham acompanhados pelo barulho incessante da furadeira. Os prédios dessa escola são acabados e têm um cheiro que me faz pensar que a limpeza não é lá essas coisas. Não tem muito espaço ao redor deles e o campinho é careca e cheio de lama, cercado de arame farpado, decorado com ervas daninhas e lixo. Eles já desistiram de limpar as pichações da fachada. E o sinal é uma sirene bem alta, que me faz sentir como se estivesse prestes a levar um tiro.

Consegui viajar tanto na aula de matemática que, quando o professor me fizer uma pergunta, eu sinceramente não saberei a resposta.

Ao sair da sala, na hora do almoço, Jayzo joga o corpo de lado contra o meu, arremessando-me contra uma fileira de armários do mesmo jeito casual que os atletas valentões da minha antiga escola faziam. Imbecil.

Eu sento sozinho lá fora. Uma menina nerd me convida para ir lá sentar com o grupinho dela, mas eu lhe digo que está tudo bem. Estou mentindo. Não estou nada bem. Estou o oposto do bem. Não consigo me sentir confortável nem para engolir.

Quando um aluno novo chegava à minha antiga escola, ele ganhava um orientador para cada tipo de atividade, era apresentado a todo mundo, matriculava-se em coisas para fazer depois da aula, ou seja, era integrado à força, e depois totalmente monitorado. Aqui, parece que estou sozinho mesmo. Isso quer dizer que será difícil mudar de imagem a não ser que eu converse com as pessoas. As únicas coisas que elas devem saber sobre mim são: alto, às vezes atende por "idiota", fica quieto na sala, faz cara feia, fica corcunda na cadeira, seu sobrenome se pronuncia como "surreal", e não "cereal", mastiga de boca fechada.

Acho que seria mais fácil tatuar *loser* na testa e acabar com isso de uma vez por todas.

• • •

Depois da aula, passo andando por entre o pessoal berrando e se empurrando para sair, e vou para a casa de Fred. Ele mora bem no meio do caminho entre a escola e a minha casa. A Plano B e o Gazela trabalham na universidade. Fred é o único cara da minha antiga turma que ainda mora neste lado da cidade.

Depois de um dia dessa mudança impossível de imagem – que, no final das contas, se resumiu à pessoa aqui tentando parecer ser legal (e eu não sou) –, é um alívio ir para a casa de Fred, que gosta de mim mesmo quando estou esse caco.

Ao chegar lá, interrompo sem querer o showzinho "Fred x Madrasta: o tratamento para acne".

– Mas não está melhorando; eu quero os remédios mais pesados – diz Fred.

– Mas você tem de dar um tempo para o creme funcionar – diz a Plano B.

– Por que a gente não pode andar logo com isso? Ir direto ao ponto?

– A gente está fazendo exatamente o que o dermatologista recomendou. E ponto final.

Fred muda de tática.

– Tenho certeza de que a minha mãe concorda comigo.

– Não comece, Fred. Sua mãe, seu pai e eu vamos conversar; não quero saber de chantagem emocional.

– Mas a injustiça já começa aí. Eu sou o único filho de pais separados que não pode fazer chantagem.

– Eu também! – digo. – Também não posso fazer chantagem.

– Como vai o negócio da sua mãe, Dan? – pergunta a Plano B.

– Ela ainda está testando as receitas. Mas vai visitar o primeiro cliente hoje.

– E o cheiro da casa, já saiu?

– Eles iam dar um jeito hoje.

– E a temperatura?

– Ainda é uma geladeira. – Faço cara de dó, e dá certo. Ela me oferece um muffin.

– Mande um abraço para ela. E você – ela diz, olhando para Fred –, leve seu casaco e aproveita para cortar o cabelo, já que vai sair mesmo.

– A que horas o Gazela chega em casa?

– Ele chega lá pelas sete e eu queria tanto que você parasse de chamar seu pai assim. Ele está tentando emagrecer – ela diz.

• • •

Passamos pelas lojas a caminho da minha casa.

Fred compra chocolate para nós. Ele sabe como andam as finanças da minha família.

– Isso aqui não é a comida favorita das espinhas? – pergunto.

– Conversinha ridícula. É tudo coisa de hormônios e genes. Eu coloco a culpa no Gazela.

Nós vamos passeando, comendo os chocolates e olhando as vitrines das lojas.

Paro bem em frente à loja de caridade Sagrado Coração. É simplesmente tudo que eu precisava: um conjunto enorme de halteres.

Eles custam 5 dólares, mas, quando Fred diz à vendedora que estou quebrado, ela me deixa levar tudo por 1 dólar. E Fred paga.

Saímos andando com os halteres na mão. Eles são bem pesados, uns cinco quilos cada um. Então vejo Estelle vindo em nossa direção. É tarde demais para tentar sair dessa.

Sinto meu coração batendo contra as costelas. Esse será nosso primeiro encontro face a face. Eu quero que seja perfeito. E sei que é mais fácil o inferno congelar. Ela me dá um meio sorriso.

Ou talvez seja mais uma meia erguida de sobrancelha. Em vez de erguer as sobrancelhas de volta, eu paro e falo de uma vez:

– Isto aqui não é para mim.

– E é para quem, então? – pergunta Fred, surpreso.

– Bom, é para mim, mas eu não uso isso aqui como peso, eu uso como...

Fred finalmente se liga, antes tarde do que nunca, e vem me salvar.

– Como peso de porta?

– Isso. Peso de porta.

Ela sorri.

– Ah, tá.

Ela diz isso bem devagar, meio que pensando por que é que estou lhe contando isso. Estou pensando na mesma coisa.

Ela continua andando.

– Tchau, Estelle – digo para as costas dela.

Ela se vira.

– Como é que você sabe o meu nome?

Congelo. Não apenas sei o nome dela, como também sei que ela foi batizada assim em homenagem à sua avó que mora em Londres. Eu sei de coisas que não deveria saber.

– Estamos na mesma classe – consigo falar.

– Ah. Tá. É – diz ela, e sai andando.

– Quem é ela? – pergunta Fred com a boca cheia de chocolate e caramelo.

– Ela é minha vizinha.

– Gata.

Como sempre, meu amigo não consegue ser nem um pouco exagerado. Pelo contrário.

– Criada para partir corações? – Ele está se referindo à quase xará dela, Estella, no livro *Grandes Esperanças*, de Charles Dickens. A gente leu na aula de inglês avançado no ano passado.

– Do jeito que tenho sorte, provavelmente nunca vou saber.

– É, e valeu por me apresentar – diz ele.

– Ela é a minha menina impossível.

– Mais uma razão para ter nos apresentado. Provavelmente ela tem umas amigas impossíveis que seriam perfeitas para mim.

Continuamos andando, com peso nos ombros, literal e metaforicamente.

Capítulo 7

Ao chegarmos à minha casa, vemos uma mangueira enorme, prateada e suja, saindo pela porta da frente e ligada a um caminhão que está fazendo o maior barulho. Os caras do Milagres do Carpete estão fazendo sua mágica lá dentro, e entro em casa pela primeira vez sem sentir náusea.

Fred cheira tudo como um cachorro.

– Mas que melhora incrível!

Seguimos em frente naquele lugar frio e triste. Howard vem latindo para nos receber, e minha mãe emerge da parte de trás da casa com uma moça que parece ter chorado um tempão.

– Muito obrigada – diz ela, segurando a mão da minha mãe. – Eu poderia ter acabado me casando com... o meu pai.

Em resposta ao olhar-de-alerta-de-programa-de-TV-da-tarde de Fred, eu digo que ela deve estar falando do tipo de personalidade do cara, e não do seu pai de verdade.

– Volte quando encontrar seu príncipe encantado – diz minha mãe, que parece meio chorosa também.

A mulher soluça e funga porta afora.

– Não dá para ter uma confeitaria de bolos de casamento se você convence todo mundo a não se casar – eu digo.

Minha mãe ignora essa observação totalmente pertinente.

– Como foi a aula?

Fred tenta distrair a atenção dela.

– Eu só volto para a escola amanhã.

– Dan?

– Ahn.

Não satisfeita com o meu "ahn", ela está prestes a me bombardear com perguntas irritantemente específicas, então mudo de assunto.

– Tem alguma coisa para comer?

– Claro. Amostras de bolos de casamento. Fiquem à vontade. Mas só comam os bolos mais velhos, no final do balcão. Para que é isso?

Os halteres.

– Peso de porta – responde Fred. Engraçadinho.

– Que bom. A gente bem que precisa de mais tralha por aqui mesmo. – Ela volta para a cozinha.

Fred e eu passamos pelo corredor com piso de tabuleiro de xadrez, por estantes enormes cheias de livros com capa de couro rachada, brochuras antigas e guias de viagem laranja e verde da Editora Penguin, e paredes lotadas de gravuras do século XVIII, mapas caindo aos pedaços e bordados fossilizados e emoldurados. Fred pega um livro, *As Crisálidas*, de John Wyndham, e quase o deixa cair, chocado.

– Que demais!

Ele me mostra o livro. Uma vespa construiu seu casulo ao longo de metade do comprimento do livro, e o ninho encaracolado e delicado grudou as páginas como cimento. Os habitantes originais foram embora há muito tempo. Uma aranha seca e leve como uma pluma fez seu próprio ninho numa das caverninhas.

– Pode ficar com ele – digo.

– Mas os livros não são do patrimônio histórico também?

– Eles já levaram todos os livros valiosos. Esses aqui não valem muita coisa, estão todos cheios de mofo.

Subimos. As cores escuras do carpete florido me lembram a ilustração de um livro de contos de fadas de algum canto da minha memória. Cada degrau da escada tem uma haste de cobre para segurar o carpete. Deve ter sido um saco para os caras do Milagres do Carpete.

Fred para e observa com atenção. Ele ainda está tentando entender o que é essa casa. Até mesmo o patamar entre um andar e outro é uma tranqueirolândia. Ele dá um passo para trás, e chuta sem querer um negócio que parece um pé de elefante, mas está cheio de bengalas e guarda-chuvas velhos.

– Que saco você não poder ficar com nada disso. Você estaria feito.

– É tipo viver cercado de muita água, água por toda a parte, e não beber nem uma gota – digo.

– Total – concorda ele.

Isso vem de um poema que a gente teve de estudar, sobre pessoas perdidas no mar, morrendo de sede, mas isso já estava na cara, né?

No meu quarto, Howard se prepara para tirar uma soneca. O processo envolve andar em círculos cada vez menores, arranhando e socando a cama dele até ela ficar no formato certo. Ele é muito específico e não relaxa até ficar satisfeito. Então, ele se enrola como um tatu-bola, solta um suspiro respeitável e começa a roncar em um segundo. Já me acostumei com os barulhos dele durante a noite, é como aquelas maquininhas que fazem barulho para ajudar a gente a dormir.

– Quando a gente veio morar nesta casa, Howard correu aqui para cima e arranhou como um maluco a porta do quarto de Adelaide. Deixamos o cachorro entrar e desde então ele sempre me segue até o meu quarto.

Howard ergue uma orelha, como sempre faz ao ouvir seu nome.

– Ele lembrou onde ficava a cama dele? Mas que beleza! – diz Fred.

– E acho que a cama dele lembra Adelaide também. É um monte de blusas de lã dela costuradas juntas.

Howard dá uma fungada mais profunda, ouvindo tudo e concordando.

– Quem é aquele cara? – pergunta Fred, olhando pela janela.

Tem um cara cheio de malas ali, e está entrando na outra casa que fica no fundo do quintal.

– Deve ser o cara do estábulo. Ele pode morar lá enquanto quiser. Como a gente aqui nesta casa.

– O patrimônio histórico deve adorar a ideia de dar um fim nele e na sua mãe.

Eu já pensara nisso.

– Já falei para ela tomar cuidado. Ela disse que essa é a última das nossas preocupações neste momento.

– De que lado Estelle mora?

– Ali, ó – digo, apontando para a esquerda.

– Ah, então você consegue ouvir quando ela está no quintal.

– É.

Ele olha para cima e para os lados.

– Você compartilha uma parede com ela – ele diz. – Pelo menos, vocês têm alguma coisa em comum.

– Ótima conversa para quebrar o gelo, Fred. Vou experimentar essa.

– Cadê o seu laptop?

– A escola pegou de volta. Você sabe que eles são só emprestados...

Dá para ver que Fred ficou se sentindo mal de ter perguntado. Ele ainda não teve tempo suficiente para se ajustar à minha vida sem grana.

– Eu estava mandando e-mails para você da biblioteca municipal quando você estava viajando.

– Isso é um saco.

– É um saco para mim – digo, tentando deixar o clima mais leve –, significa que tenho de ver você pessoalmente... e falar com você de verdade.

– E o seu celular?

– Já era. Mas, quando eu arrumar um emprego, vou pegar um pré-pago.

– Essa porta dá onde?

– É tipo um quarto de guardar tranqueira, meio armário, e para guardar a roupa de cama também.

Fred tenta abrir a maçaneta. A porta não abre porque eu a tranquei, e a chave está no meu bolso.

– Está emperrada – minto. Howard dá uma bufada. Mesmo semiconsciente, ele está de olho em mim. Como é que pode?

Fred vai embora para fazer a lição de casa das férias, mastigando um pedaço de amostra de bolo de casamento, é a única coisa que tem aqui para a gente beliscar, e eu volto lá para cima e me sinto mal, de novo, por causa da minha visita ao sótão.

Capítulo 8

Tudo aconteceu uma semana antes, quando minha mãe estava tendo um ataque por causa de "roedores" e da inspeção da vigilância sanitária, que estava próxima, e que decidiria se ela poderia ou não entrar em ação com o negócio dos bolos.

Nós dois tínhamos ouvido uns barulhos estranhos durante a noite, e apesar de mais parecer barulho de gambá ou de gato que de rato, em minha opinião, eu disse a ela que ia ver o que estava rolando. Naquela noite eu sonhei com vigilantes sanitários rabugentos, ratos enormes vestindo terno e carregando prancheta, pisando nos ratinhos felizes do sótão que tinham ido fazer uma festa na cozinha, e acordei com um barulho de algo sendo arranhado, seguido por um *tum* vindo lá de cima. Parecia que alguma coisa caíra no chão, e senti meu cabelo arrepiar-se na nuca. Enfiei a cabeça debaixo de um travesseiro, mas aquela arranhação começou de novo. Eu me sentei na cama e encarei a escuridão com a minha lanterna. O vento entrava rasgando pelas frestas da janela, mexendo as cortinas de leve, dando a impressão de que estavam respirando. Tremi de frio e de medo e percorri o quarto com o facho de luz mais uma vez.

Tinha alguma coisa escura perto da porta. Howard fora o responsável por aquela arranhação toda. Vesti um moletom, resmungando mas feliz por levá-lo para passear; é melhor do que ter de limpar alguma coisa biológica no dia seguinte. Além disso, prometi a Howard que ele nunca teria de passar pela indignidade de mijar dentro de casa de novo.

Quando passamos pelo patamar no meio da escada, ouvi outro *tum* lá em cima.

Na noite seguinte, depois do jantar, quando minha mãe estava totalmente concentrada em sua pesquisa sobre marzipã, entrei no quarto de guardar tranqueira e subi a escada presa à parede que dava num buraco no teto. Quatorze degraus, daqueles arredondados, à moda antiga. E eles machucaram os meus pés, mesmo eu estando de tênis. A escada ficava a apenas uns seis centímetros da parede. Quando cheguei lá em cima e abri o ferrolho emperrado, alguma coisa estava fazendo peso sobre a portinhola. E ela não se mexia por nada neste mundo. Empurrei com toda a força, com o ombro e a cabeça, e ouvi o barulho de alguma coisa pesada caindo no chão do sótão.

Congelei. Alguém tentara bloquear minha entrada no sótão. Fiquei ali imaginando um caleidoscópio de possibilidades terríveis – psicopatas, ratazanas famintas, fantasmas de criancinhas com olhos vidrados, sorrisinhos malvados e tesouras afiadas nas mãos... um vampiro-fantasma? Mas isso seria ridículo. Fantasmas não comem nada. Teria de ser uma coisa ou outra. Chega. Dei-me um tapa mental, comecei a respirar de novo e me aventurei mais um degrau acima para dar uma olhada.

Passei o facho de luz da lanterna ao meu redor. Nada passou correndo, nem pulou da escuridão em minha direção, então me ergui e fiquei de pé no sótão.

Como o restante da casa de Adelaide, aquele espaço era grande, empoeirado e cheio de tranqueiras – um monte de baús e caixas de madeira para guardar coisas. Uma caixa de livros que estava bloqueando a portinhola caíra de lado – e os livros caíram no chão, claro. Mas quem colocara aquela caixa ali? Andei ao redor, checando entre os baús e alguns móveis. Quem quer que fosse que colocara a caixa ali usou outra abertura para sair do sótão, ou ainda estava por ali. Senti minha pele se arrepiar.

Devia existir outra saída para o andar de baixo da casa. Eu a encontrei escondida atrás de uma cômoda enorme de canforeiro, e havia uma caixa pesada demais sobre ela. Procurei muito, mas não consegui achar um terceiro ponto de acesso para o andar de baixo. Aquilo estava me deixando nervoso. Apontei a lanterna para cima e olhei para a janelinha no telhado. Era uma janelinha redonda que podia ser vista lá da rua, porém não conseguia imaginar ninguém saindo por ali.

Quando o facho de luz atingiu a parede que separa a casa da casa vizinha, notei um vão entre os tijolos, mais ou menos da largura de uma porta e metade de sua altura, bloqueada do outro lado. Aquela parede separa o nosso sótão do sótão de Estelle. Ao olhar mais de perto, vi que o vão estava bloqueado por umas caixas de papelão dobradas. Empurrei de leve, e elas caíram, fazendo um pouco de barulho. Segurei a respiração, mas não houve reação alguma ao barulho, então me agachei e engatinhei pelo buraco.

Aquilo ali não era lugar de ratazanas, gambás ou fantasmas. À primeira vista, dava para ver que pertencia a uma menina. Estelle. Chequei mais uma vez, para ter certeza de que não ouvia barulho algum, e olhei ao redor com a lanterna. Meu coração parecia que ia sair pela boca. É claro que eu estava invadindo a casa da vizinha, e não estava apenas na propriedade de outra pessoa, aquilo era um espaço muito reservado. Apesar de tudo isso, eu não podia nem pensar em sair dali antes de dar uma boa olhada. Não foi uma decisão consciente; eu simplesmente me deixei levar.

Havia velas por toda a parte – num par de candelabros enormes de prata no meio do quarto, no chão e em suportes altos de cristal ou de vidro colorido. Havia um ninho enorme feito de cortinas de brocado, almofadas desbotadas e colchas de retalhos com padrões intrincados. Ao lado dele ficava uma pilha de livros e um tapete de lã angorá.

Sobre uma pequena escrivaninha ficava um peso de papel de vidro, um armário chinês em miniatura com acabamento de laca preta contendo painéis incrustados de marfim e pintados a mão – não consigo mais parar de catalogar as coisas, por causa do tempo que passei com Posy –, alguns cadernos ou diários muito antigos repletos de anotações numa caligrafia delicada, uma boneca de porcelana vestida de marinheiro francês, alguns livros de exercícios e canetas e um tinteiro esculpido em jade verde-claro. Xales de seda bordados cobriam as paredes. Estelle dera nós nas pontas dos xales e os pendurara nas paredes com tachinhas. Tapetes persas cobriam quase totalmente as tábuas sem verniz do piso de madeira. Algumas das velas deveriam ser perfumadas, porque aquele lugar cheirava a baunilha e a alguma coisa picante.

Abri algumas das gavetas do armário – alguns pirulitos, contas, pompons de seda para cortina, canetas e três besouros dourados mortos, daqueles que surgem no período do Natal.

O barulho de alguém fechando uma porta com toda a força me fez desligar a lanterna e ficar escutando como se eu fosse um ouvido gigante.

Era Estelle, cantando alto, como as pessoas fazem quando estão ouvindo música no iPod. Ela canta bem.

Então ouvi mais alguém, apesar de Estelle obviamente não estar ouvindo nada.

– Estelle, Estelle! *Estelle*! – Tum, tum, tum, tum, tum.

Aquilo deve ter acabado com o transe, porque Estelle disse:

– O quê?

– "Sim, mãe" – corrigiu a pessoa.

– Sim, mãe. O que foi?

– Vai passar um documentário legal daqui a pouquinho sobre arte no início da Renascença.

– Passo.

– Queria tanto que você falasse frases completas.

– Não estou interessada no documentário.

– Mas como você sabe antes de ver pelo menos um pedacinho?

– Instinto.

Ela deve ter colocado os fones nos ouvidos de novo, porque a mãe dela aumentou o volume para perguntar:

– Como é que você consegue estudar com essa coisa ligada?

– Não estou estudando. Estou de férias...

Então a mãe deve ter ido embora, fechando a porta atrás de si.

– ... sua vaca – completou Estelle.

– Eu ouvi isso.

– Essa mulher deveria ganhar a medalha de audiologia geriátrica – disse Estelle.

– Ouvi isso também – retrucou a mãe, do outro lado da porta.

– Bom, se você saísse daqui não ouviria mais nada!

– E, se você continuar ouvindo essa coisa nesse volume, não conseguirá escutar mais nada quando chegar à minha idade.

– Bela merda!

– Chega! Você está de castigo! Você não pode usar esse tipo de linguagem comigo!

– Eu não sabia que você ainda estava aí. Você ainda está aí?

– Para lembrá-la de que você deveria estar fazendo a sua lição de casa. Se for assim, nem sei por que estou gastando esse dinheiro todo com as aulas de francês.

– Então pode parar. Não fui eu quem pediu.

Pelo jeito, a mãe dela desistiu e foi embora.

Havia luz o bastante entrando pela janelinha redonda para que eu conseguisse sair do sótão sem tropeçar em nada. Mas então havia o problema das caixas de papelão. Fora fácil empurrar tudo e passar por elas, mas como fazer a manobra ao contrário? Empilhei as caixas e as deixei apoiadas contra a parede. Engatinhei até o meu sótão e tentei puxar as caixas de volta para tapar o buraco, no entanto era impossível. Eu precisava de um barbante. Liguei a lanterna e comecei a procurar. Achei um pedaço comprido de uma cordinha presa a uma cortina dobrada. Eu a arranquei dali e a levei de volta para o vão na parede. Passando por ele de novo, amarrei a cordinha ao redor das caixas. Assim, ao passar de volta pelo vão, eu poderia puxar as caixas e deixar tudo na posição original, e então tirar a corda com cuidado e puxá-la de volta para o meu lado. Fiquei escutando, não caiu nada. Enrolei a cordinha e a deixei ali no chão, para a próxima vez.

Eu provavelmente deveria ficar preocupado por estar planejando espiar de novo, e sem um pingo de culpa. Como aquilo se encaixava em tentar ser uma boa pessoa? De maneira alguma, pelo jeito. Deixei o assunto na lista de coisas com que me preocupar depois.

Notei uma caixinha de papelão minúscula no chão ao lado da parede. Eu tinha visto algumas no lado de Estelle também. Peguei a caixa: "Veneno. Manter fora do alcance de crianças e animais. Dedetização é o nosso negócio. Veneno para roedores. Não manusear".

Os pais de Estelle devem ter mandado dedetizar o lugar. Voltei lá para baixo satisfeito com a descoberta do sótão.

Rolou mais uma visita ao sótão. Mas é sobre essa que eu não posso falar.

Capítulo 9

Depois que Fred foi embora, vim aqui para baixo de novo, ainda com fome e fuçando em busca de comida. Sei que tem a ver com o fato de eu estar crescendo tanto, mas não existe um momento do dia em que eu não teria o maior prazer em devorar uns hambúrgueres ou tortas de carne se estivessem dando mole por aí.

– Não tem nada para comer.

– Tem pão. E frutas.

– Mas não tem nem uma fruta boa. Aquelas maçãs estão prontas para virar adubo – resmungo, com meu mau humor induzido pela fome. – E não tem nenhum biscoito de chocolate, nem muffin, nem batatinha, nem biscoito salgado.

– Mas agora eles são um luxo, sinto dizer.

– A gente não tem nem mais comida que sobra da véspera! – Fecho a geladeira com força.

– É porque agora a gente come aquilo que compra, e não está sobrando nada no nosso orçamento para jogar comida boa no lixo.

Agora ela está ficando nervosa, ou com raiva, então fico esperto antes que isso vire uma discussão.

Olha só aonde a nossa vida veio parar. Estamos presos no iceberg dos itens básicos, vendo todas as coisas gostosas passando pela gente a bordo do iceberg dos supérfluos. Antigamente eles navegavam juntos. Quando ela sugere que a gente faça barrinhas de cereal, eu concordo com uma empolgação falsa, mas a fome é verdadeira. Não é muito difícil. É só misturar aveia, açúcar, farinha e coco ralado com um pouco de manteiga derretida e mel – mas a gente usa xarope de milho porque é mais barato –, colocar a mistura numa assadeira e botar no forno.

– O seu pai ligou.

Não respondo.

– Eu entendo como você deve estar se sentindo, mas pelo menos faça um esforço para manter contato com ele. Outros pais já teriam desistido há muito tempo com esse silêncio todo.

Como é que ela pode entender o que estou sentindo? Eu é que não entendo. Porém não posso pedir uma explicação milagrosa – essa conversa não acabaria nunca. Compartilhar situações de adversidade deveria ser uma experiência para nos aproximar, mas ainda não rolou.

– Se ele quisesse tanto me ver, então teria vindo para esse cafofo com a gente.

Ela coloca o braço ao redor do meu ombro e me dá um apertão. Levanto o cotovelo para que ela não consiga se aproximar mais.

– Ele está tentando.

– É culpa dele você ter de fazer tudo isso – digo para ela, olhando ao redor da cozinha –, os contêineres industriais de farinha e frutas secas, o forno megalargo, a variedade de assadeiras que um dia produzirão andares e mais andares de bolo de casamento.

– Eu não me importo. Sou uma ótima cozinheira. E encontrei um nicho com um bom preço e alta margem de lucro para me especializar. Tenho experiência em marketing. O banco tem fé suficiente em mim para me dar um empréstimo. Está tudo sob controle.

Dá para ver como ela está relaxada.

Ela ainda está correndo para lá e para cá movida pela adrenalina pós-separação. A ficha ainda não caiu. Infelizmente, vou ser o único por perto para dar uma força quando isso finalmente acontecer. Eu já procurei no Google. Ela precisa expressar sua raiva para que isso não a leve ao transtorno de estresse pós-traumático, que se manifesta em ansiedade, depressão e, por fim, abuso de substâncias químicas.

Ela fica de olho enquanto engulo metade da fornada das barrinhas de cereal.

– Você precisa expressar sua raiva – digo.

– Mas a que isso levaria? – ela me pergunta, sorrindo por algum motivo.

Não quero mencionar o risco de abuso de substâncias químicas – vai que a conversa piora –, então mudo de assunto.

– O que tem para o jantar?

– Curry de legumes e grão-de-bico e arroz.

Resmungo por dentro. Ela sempre faz um panelão disso. É nutritivo, substancioso e barato. Essa é a palavra-chave. Mas estou cansado de olhar para aquilo, sentir o cheiro daquilo, o gosto daquilo. Macarrão à la quase-nada e sopa com um monte de pão são os novos pratos da casa. Bifes suculentos, carne assada de sobra para fazer sanduíches depois e comer fora uma vez por semana são lembranças de um passado distante.

Ela fica me encarando com aqueles olhos de raios X bem na hora em que embarco numa expedição nostálgica pelas minhas comidas favoritas, que a gente ia buscar naqueles restaurantes "para viagem":

1) Pizza margherita.
2) Sanduíche de almôndegas.
3) Nachos. Mas sem creme de leite.
4) X-tudo com tudo. Menos beterraba.
5) Macarrão tailandês com frango.
6) Peixe frito com batata frita.

– Mas, então, como é que foi na escola, de verdade?

O peixe frito com batata me pega de surpresa e tenho de engolir as lágrimas ao lembrar-me do cheiro de vinagre, da sensação de rasgar o pacote de papel quentinho, os pinheiros ao redor do parque, o píer, meu pai... Quantas vezes a gente fez aquilo?

– Foi tudo bem.

– Já conversou com alguém?

– Não.

– Você vai fazer amizades, Dan.

– Isso é uma ordem?

Ela prefere ignorar minha falta de educação.

– Fica difícil conhecer alguém se você não conversar.

– Na verdade, eu estava planejando me comunicar apenas com o poder das minhas ondas cerebrais. Acho que vou ter de arrumar outro plano – digo. Isso é ridículo, mas não tive tempo de editar antes de falar.

Ela me responde com os lábios tensos e estreitando os olhos, e um olhar "você está sendo difícil, mas estou guardando minha raiva para os assuntos mais importantes".

Sou salvo pelo gongo – ou melhor, por alguém batendo à porta dos fundos. É o cara dos estábulos. Parece que ele tem quase 30 anos, ou seja, dez menos que a minha mãe. Ele tem um leve sotaque londrino – que parece coisa do passado, mas que faz questão de manter porque parece legal. Um idiota, está na cara.

Enquanto eles se apresentam – o nome dele é Oliver –, ele admira a reforma que minha mãe fez na cozinha.

– Nossa, Julie, eu nem teria reconhecido este lugar. Posso sentir que vai dar muito certo.

E por acaso ele é vidente? Lê bola de cristal? É o médium dos bolos de casamento?

– Então, são só vocês dois aqui? – ele pergunta.

E o que ele tem com isso? Será que está pensando em alugar os quartos vazios?

Minha mãe faz que sim com a cabeça.

– Rob e eu nos separamos recentemente.

Ah, não, nada de ficar abrindo o coração agora.

Pausa desconfortável.

– Espero que vocês não se importem comigo morando ali – diz Oliver. – Fico me sentindo um intruso.

É isso aí, amigo.

– Imagine. Por favor, nem pense nisso. Adelaide adorava Lettie. E também tinha muito carinho por você.

– O carinho era mútuo. Ela foi uma mulher incrível.

Acho que vou vomitar.

Oliver olha para mim.

– Lettie era a minha avó.

– Tá – digo. E eu com isso? O que ele ainda está fazendo aqui? Tentando amaciar o coração da minha mãe? Dar um upgrade nas acomodações e se mudar dos estábulos para a casa grande? Tento descobrir que tipo de trabalho ele faz ao examinar suas roupas. Ele está usando jeans de uma cor estranha, meio azul com preto, uma blusa de lã verde de mangas compridas demais, que cobrem até a metade de suas mãos, e botas pretas de montaria, com um elástico vermelho. Cabelo loiro liso repartido de lado, óculos com aros de metal sem graça... estou entre cineasta e arquiteto.

– O que você faz? – pergunto.

– Sou analista de tendências e faço previsões.

– E o que é isso mais exatamente?

– Dan. – Sei que é a bronca do "tom rude na voz", mas dá para ver que Oliver é confiante demais para se sentir ofendido.

– Eu vou para a cidade, passo um tempo andando pelas ruas e em baladas e bares, vendo e falando com as pessoas para ver o que elas estão vestindo, comendo, bebendo, discutindo, ouvindo, que brinquedos e eletrônicos estão usando. E então eu gravo algumas cenas, tiro algumas fotos, faço um relatório e mando para agências de publicidade e os clientes delas. Depois de fazer uma apresentação sobre isso, vou para algum lugar diferente. Então, eu basicamente ajudo publicitários a seguir os passos dos consumidores.

– Que emprego divertido – diz minha mãe.

Parece legal mesmo, mas esse cara já está impressionado o bastante consigo mesmo; não preciso entrar para o fã-clube.

– Vou levar o cachorro para passear – digo.

Howard fica de pé num segundo e vai andando devagar até a porta dos fundos. Ele parece um pouco irritado. Rabo para baixo. Mas os cachorros não estão sempre prontos para dar uma volta, a qualquer hora do dia ou da noite?

– Olha só, ele deve saber o que "passear" quer dizer – diz minha mãe.

– Howard sabe de muitas coisas – Oliver comenta, passando a mão no cachorro.

O rabo de Howard vai para cima de novo. Ele balança a cabeça e faz uma pose, todo altivo – quer dizer, tão altivo quanto um cachorro pequeno consegue.

Estou levando Howard para passear por vários motivos. Também espero encontrar Estelle na rua. Meia hora depois, num frio de arrepiar até o tutano dos ossos, ainda não há nem sinal dela. É estranho como a gente pode se sentir aliviado e arrasado ao mesmo tempo. Vou em direção à rua cheia de lojinhas – preciso arrumar um emprego. A maioria dos negócios na rua são cafés e lojas de comida gourmet, tipo massa feita em casa, verduras orgânicas, algumas lojas de roupas e uma galeria de arte. Então vem a loja da instituição de caridade, outra de ferragens e uma banca de jornal. Um bonde faz um barulho agudo e penetrante na esquina enquanto amarro Howard no pé de um banco e me preparo para entrar na loja da instituição de caridade para pedir emprego. Nem posso acreditar quando eles me contratam logo de cara: terças e quintas depois da aula. Fácil!

Estou indo para casa quando pessoas começam a sair aos montes por uma porta alta entre duas lojas. Elas parecem ter a minha idade e conversam sem parar. Noto que elas são deficientes, a maioria tem síndrome de Down, acho eu. E Estelle vem andando atrás delas, caminhando ao lado de uma menina, segurando a mão dela.

O sorriso de Estelle deve ter um quilômetro de largura. Ela tem cabelo castanho-claro e muito liso, repartido no meio e preso atrás das orelhas. O cabelo dela é tão brilhante! Ela deve lavar a cabeça todos os dias. As orelhas dela são bonitas. Os olhos são azul-escuros ou cinza. Ainda não tive tempo o bastante para olhar direito.

Quando ela me vê, seu sorriso diminui um pouco – dá para ver –, mas ela não pode me ignorar. Estou no meio do grupo, e esse pessoal está andando e brincando, despedindo-se – eles não têm pressa alguma. Estelle está presa. É provavelmente a única razão para ela me dizer "oi".

– Quem é você? – pergunta a menina ao lado dela.

– Phyllis, esse é o... desculpe, é Dan, né?

– Dan, isso – respondo. "Danisso"? Dá nisso? Mas o que é isso? Isso não é nada bom.

– Ele acabou de se mudar para a casa ao lado da minha – explica Estelle, provavelmente torcendo para que fique bem claro para Phyllis que essa é a única razão pela qual ela está falando comigo.

– A casa de Adelaide? – pergunta Phyllis.

– Isso mesmo – digo. Ai, como eu sou idiota. Por que eu não consigo simplesmente dizer "é"?

Agora eu mais pareço um apresentador de programa de TV.

– Ela morreu na cama dela – diz Phyllis.

– É. – Agora consigo soltar um "é", mas totalmente fora de hora. Isso me faz parecer insensível, o tipo de cara que não está nem aí para onde uma velha morreu.

Fico desesperado para prolongar e, de preferência, melhorar a qualidade do meu tempo com Estelle, então ofereço um pouco de informação, o que não é nada fácil para mim.

– Acabei de conseguir um emprego.

– Onde? – ela pergunta.

– Na loja da instituição de caridade.

– Trabalho voluntário – diz Phyllis. – Que legal você ajudar.

É óbvio, mas nem me liguei. E não é a primeira vez. É claro que aquela loja não paga ninguém. Para alguém que deveria ser inteligente, acabei de receber o prêmio "maior idiota de todos os tempos". Sinto meu rosto ficar vermelho de tanta bobeira, e espero que passe com o efeito do vento gelado.

– É, eu acho muito importante fazer algum tipo de, ahn, contribuição. Também estou procurando trabalho pago, se souber de alguma coisa.

– Vamos ficar de olho – responde Estelle. Ela está prestes a ir embora, e faço um segundo esforço hercúleo para mantê-la por perto.

– Onde é que vocês estavam ali? – Isso está me matando; parece que estou aprendendo a falar agora.

– É um programa para quem gosta de artes – explica Phyllis. – Os artistas trabalham com a gente, lá em cima. – Ela aponta para o primeiro andar, acima das lojas. E, então, presumindo minha próxima pergunta, ela completa: – Eles não estão precisando de ninguém.

– A não ser de mim – diz Estelle –, mas é trabalho voluntário também.

– Vocês se conheceram lá?

As duas caem na risada.

– Não. No ensino fundamental – diz Estelle.

– Você sabe o que aconteceu com o cachorro de Adelaide? – pergunta Phyllis.

Aquilo me atinge como uma frigideira gigante nos desenhos, deixando-me atordoado.

Howard! Eu me esqueci totalmente dele. Ele ainda está amarrado ao banco do outro lado da rua – se eu tiver sorte. Isso se ele já não foi levado pela Sociedade Protetora dos Animais, ou sequestrado.

– Ele meio que veio com a casa. E eu o deixei lá do outro lado da rua. Preciso ir – respondo rápido e saio correndo, quase atropelando um ciclista, que não poupa palavrões no seu caminho.

Que alívio ver o velho Howard ainda sentado ali, com uma paciência de Jó. Ele dá um latido agudo enquanto o desamarro.

– Eu sei, eu sei. "Guia para idiotas sobre como criar cachorros: leve o cachorro para passear, porém o leve de volta para casa".

Geralmente é o humano que treina o cachorro. Mas, quando Howard abana o rabo, sou eu quem responde na hora e tenta lembrar-se da lição para a próxima vez.

• • •

Estelle e Phyllis estão indo embora, e eu perdi a chance de caminhar um pouco com elas. Apesar de que, graças ao meu jeito tranquilo, eu provavelmente não conseguiria lidar com a situação de andar lado a lado com duas meninas e mais um cachorro na coleira, caminhando e falando ao mesmo tempo sem tropeçar em alguém – incluindo eu mesmo.

Howard e eu seguimos desanimados para casa, e fico de olho nas vitrines em busca de um emprego de verdade. O único anúncio é na loja de roupas e diz "indispensável experiência em varejo". A Sra. Nelson, da loja de caridade, acena quando passamos pela vitrine de novo. Faço um tchauzinho de volta, sentindo-me o maior idiota do mundo.

Quando chegamos em casa, minha mãe e Oliver já parecem bem à vontade, com uma garrafa de vinho quase vazia sobre a mesa. Ele deve ter trazido o vinho, já que é um artigo de luxo. Pela maneira como ele olha para mim – com compaixão, compreensivo (por que todo mundo acha que entende o que está rolando?) –, dá para perceber que ela já contou tudo sobre a catástrofe da família. Mas o que ela está pensando? A gente nem conhece esse cara. Depois de anos me enchendo do maior medo, será que todo o conceito do perigo que envolve falar com estranhos não significa mais nada para ela? Será que eu é que tenho de me preocupar com tudo nesta casa? Não e sim, pelo jeito. E o que aconteceu com a noção de privacidade? Coisas que são assunto meu, e que eu posso não estar a fim de compartilhar com o mundo todo? Já era.

Mal posso acreditar no que estou ouvindo quando ela o convida para jantar. Ainda bem que ele tem outro compromisso. O que meu pai acharia disso tudo? Bom, é claro que ele não se importaria. Se ele se importasse, estaria aqui, passando por tudo isso com a gente. Em vez disso, ele… sei lá o que ele está enfrentando sozinho, mas a escolha é dele. Então, vá se ferrar, pai, e espero que você se sinta tão mal quanto eu. Mas, não sei por quê, sinto-me ainda pior ao pensar no meu pai sozinho.

Tento escapar logo depois do jantar, e quem dera ter tanta sorte assim.

– Dan, você não vai a lugar nenhum; preciso da sua ajuda – diz minha mãe.

Eu fico, mas agora ela está enchendo o meu saco porque eu respondi "tanto faz". Ela odeia essas palavras. E fica falando e falando ao fundo enquanto fazemos uma limpeza pesada na cozinha e penso no meu pai. Como ele estará? Onde ele estará morando? Será que ele também está com fome como eu, agora que a gente não tem dinheiro? Será que pensa na gente? Quando? Será que eu deveria falar com ele quando ele liga aqui em casa? Por quanto tempo ele insistirá antes de desistir de mim? Antes de ir embora, como outro iceberg que vivia grudado ao nosso de maneira tão segura?

– Dan, preste atenção! Você está inundando a cozinha.

Que exagero. Derrubei um balde no chão. Não é assim que eles lavam os deques de madeira nos filmes? E existe outra maneira de lavar o chão? Desde que eu era pequeno, a gente sempre teve várias Sras. Fulanas. Alguém que vinha limpar a casa, e eu nunca tive de participar desse tipo de coisa antes. Será que ela acha que é instintivo? Os bebês já nascem sabendo dessas coisas? Faz parte do nosso DNA? Duvido.

– Dan!

Vixe! Mais água pelo chão. Não estou conseguindo me concentrar.

– Deixe que eu termino isso aqui, você não está ajudando em nada – diz a minha mãe, com o rosto vermelho de raiva e de tanto esforço. Ela também não está acostumada a fazer limpeza. – Amanhã vou mostrar a você como limpar o banheiro.

Mal posso esperar.

Lista dos "não consigo".

1) Não consigo lavar o chão.
2) Não consigo falar com meninas, principalmente com Estelle.
3) Não consigo arranjar um emprego que pague alguma coisa.
4) Não consigo tomar conta de Howard quando o levo para passear.
5) Não consigo confiar no cara dos estábulos.
6) Não consigo falar com o meu pai.

E tem mais, vamos ser sinceros. Esta lista poderia chegar aos milhares de itens.

Capítulo 10

Durante o café da manhã – cereal e quatro torradas com manteiga de amendoim e geleia –, tento avisar minha mãe de que talvez não seja uma boa ideia ficar tão amiga de Oliver, mas ela não está nem aí.

– Que bobagem. Ele é muito agradável.

– É assim que eles conseguem atrair as pessoas. Os melhores psicopatas são os mais razoáveis. Todo mundo sabe disso.

– Ele parece muito tranquilo: tem emprego, senso de humor e uma namorada também.

– Só acredito vendo.

– Ela mora em Londres.

– Em Londres ou no fundo do rio, alimentando os peixes? E como é que a gente sabe que ele não tem nada a ver com a morte de Adelaide?

– Dan, ela tinha 91 anos. Todo o dinheiro dela foi para a galeria. E Oliver nem estava aqui quando ela morreu. Ele estava em Nova York.

– Os mais espertos sempre têm álibis perfeitos.

Meu pai teria lidado melhor com isso. Não queria acabar falando de um assassinato misterioso. Só não quero que o cara vire o melhor amigo da minha mãe da noite para o dia.

– Só estou dizendo que a gente ainda não conhece direito esse cara.

– Adelaide praticamente cresceu com a avó dele e conhecia os pais dele; e agora ele faz parte da nossa vida, pelo menos enquanto estivermos aqui; então é sensato fazer um esforço para conhecê-lo melhor.

– Isso não quer dizer que você tenha de contar tudo para ele.

– Eu decido o que conto ou não para os outros. E você decide o que você quer contar para os outros.

Antigamente a gente não discutia o tempo todo, como agora.

O telefone toca. Minha mãe faz um gesto com a cabeça para que eu atenda. Mas agora ela teve essa ideia brilhante de que a gente tem de atender o telefone dizendo o nome do negócio dela, então faço que não com a cabeça, e dou mais uma mordida enorme na torrada, mastigando desafiadoramente. Ela cospe tudo o que estava mastigando na mão e atende o telefone com uma voz calma, disfarçando seu olhar assassino.

– "Eu Aceito" Bolos de Casamento. Pois não?

É engano. Ficamos ali olhando um para o outro.

• • •

A caminho da escola, fico pensando em por quanto tempo poderei me esquivar de atender o telefone. Decido que vou tentar evitar enquanto ela tiver esse negócio imbecil. E, como nossa sobrevivência depende do sucesso do negócio, pelo jeito nunca mais vou atender o telefone de novo. Ainda bem que ninguém liga para mim.

A primeira aula é de ciências. Eles – nós – estamos estudando biologia.

Estou olhando para o pratinho de vidro e tentando respirar fundo. Estamos examinando ovos crus. A professora, Srta. Peale, está superempolgada.

– Estão vendo essa substância esticada, que mais parece um cordão, entre a clara e a gema? Ela se chama calaza. – Ela escreve a palavra na lousa. – Cada ovo tem duas calazas: são elas que mantêm a gema no lugar. Alguns de vocês podem ter a sorte de ver umas manchas amarronzadas de proteína na gema; isso é matéria embrionária ainda não desenvolvida.

Estou sentindo aquela tontura familiar que rola antes de eu desmaiar. Por favor, não deixe que isso aconteça na frente de Estelle. Por favor. Controle-se. Resista. Evite a humilhação pública. Respire.

A Srta. Peale continua.

– Toquem a clara com o dedo. Sintam a viscosidade lisa e albuminosa. E notem que a gema tem uma membrana externa mais resistente: é a membrana vitelina. Toquem. Sintam como o dedo não afunda por completo e como ela volta à posição original. Num ovo fecundado, essa gema suculenta alimentará o embrião em desenvolvimento.

Tento pensar em qualquer outra coisa a não ser nessa minipoça melequenta. Jayzo e os amigos dele ajudam. Eu me concentro no lado idiota deles, e a sensação de vertigem desaparece um pouco. Deixando de lado que o princípio mais importante ao fazer sexo quando ainda se é menor de idade é evitar a gravidez, eles estão se oferecendo para fertilizar os óvulos de Dannii e das meninas dos parênteses intercambiáveis. Até parece que sou um especialista, mas pelo menos sei o básico – em teoria.

Vejo Estelle olhando para eles e mal podendo acreditar. Tento cruzar o olhar com o dela para compartilhar um momento "eu não acredito", mas o olhar dela passa longe do meu, como se eu não estivesse ali.

E então a Srta. Peale chama a minha atenção de novo.

– Aliás, a pele das ovelhas secreta uma substância oleosa muito parecida com a gema para manter a lã sempre macia.

Estou tentando me controlar quando vejo Deeks, um dos amigos de Jayzo, engolir um ovo cru inteiro, quase vomitar e depois sorrir com ar triunfante. Ele ganha uma nota de 10 dólares.

Desmaio.

O rosto preocupado da Srta. Peale é a primeira coisa que vejo ao abrir os olhos. Por um segundo assustador e muito estranho, eu não faço a menor ideia de onde estou. Parece que estou acordando num pesadelo. A Srta. Peale e uma menina chamada Lou estão me ajudando a sentar numa cadeira e a manter a cabeça abaixada.

Entre jogar ovo cru uns nos outros e me verem daquele jeito, essa provavelmente deve ter sido a melhor aula de ciências de todas para Jayzo e sua turma.

– Você é um idiota, Cereal – diz Jayzo.

– É Cereill – consigo responder.

– Cyril, na próxima vez que você sentir tontura, sente-se com a cabeça abaixada entre os joelhos ou vá lá para fora pegar um pouco de ar fresco, tá?

– Meu nome é Dan, não Cyril.

– Você já desmaiou antes, Dan?

– Já. Não é nada demais.

– Não é nada demais para Cereill ficar tendo piripaques como uma menininha – diz Jayzo, forçando a barra com a piadinha, mas fazendo seus amigos rolarem de rir mesmo assim.

– Você é mesmo uma criatura abominável, Jayzo. Mas talvez você não saiba o que essa palavra significa – diz Lou. Ela sorri para mim cheia de compaixão. Olho de relance para Jayzo para ver como ele lida com a resposta. Ele fica mudo.

– Não se preocupe – diz Lou para mim. – Ele não consegue contar nem soletrar.

Lou se separa um pouco de seus amigos-plasma para almoçar comigo. Ela me lembra Fred, e não só por causa dos óculos e das espinhas. Ela me passa a ficha de algumas pessoas sentadas perto da gente.

– É a primeira menina a ficar com alguém numa festa. Consegue as drogas com o irmão mais velho. Ficou com cinco meninas na véspera de Ano-Novo e todas ficaram doentes. Malvado, idiota e metido a atleta (Jayzo). Não são más, mas são intocáveis; ficam na delas (Estelle e suas amigas). Os pais são viciados em heroína. Toma medicação para TDA (Transtorno do Déficit de Atenção). Os pais são assessores políticos. É inteligente, mas se faz de boba. Não sai da coordenadoria da criança e do adolescente. Gente boa, mas não legal o bastante. Furou um moleque com um compasso no quinto ano. A irmã mais velha teve um caso com o professor de matemática, que foi demitido.

– E você? – pergunto a Lou.

– Inteligente, não malvada, não popular, problema de pele, vou emergir como uma borboleta do casulo um dia e fingir não reconhecer Jayzo e seus compadres imbecis enquanto eles carregam minhas compras de supermercado até meu carro esportivo europeu supereconômico. – Ela sorri. – Problemas: ainda sou lagarta, mas provavelmente vou conseguir dar um jeito nas espinhas.

– E eu?

– Ainda não sei... Não fala muito, desmaia, é novo...

– E já nada popular.

– Só porque Pittney abriu a boca sobre o seu histórico escolar e a sua escola particular. Razões mais que suficientes para você ser desprezado por eles. – Ela aponta com a cabeça para Jayzo. – Por que você mudou de escola?

– Expulso. Violência no intervalo. Uso excessivo de drogas.

Ela ri.

– Não, fala sério. Por quê?

– Estamos falidos – digo, e despedaçados também, penso.

– E esse lance de desmaiar por causa dos ovos?

– Às vezes, acontece com coisas gosmentas, cruas, ou nojentas. Acho que tenho um pouco de fobia. Começo a ficar com calor e com enjoo, e então... bom, você viu o que acontece.

– Eu não tenho nenhuma fobia, pessoalmente, mas minhas favoritas são a araquibutirofobia, que é...

– Medo de que a manteiga de amendoim grude para sempre no céu da boca.

– Muito bem. E gosto de triscaidecafobia também. Medo do número 13.

– A minha favorita é a luposlipafobia.

– O que é isso?

– Medo de ser perseguido por lobos cinzentos ao redor da mesa da cozinha, correndo de meia num chão recém-encerado.

Ela ri.

– Até parece.

– É, é uma charge do *Far Side*[2] – admito. – Mas mesmo assim é minha favorita.

Olhamos um para o outro com um alívio tímido. É o olhar que dois peixes fora d'água trocam ao se reconhecerem na natureza.

2. *Far Side* são tiras humorísticas de autoria de Gary Larson, publicadas de janeiro de 1980 a janeiro de 1995. (N.E.)

Capítulo 11

Três expedientes na loja de caridade e parece que já trabalho ali há uma vida inteira. Ou uma pena de prisão perpétua. Como fui ser tão idiota de pensar que isso aqui era um emprego com salário? E o fato de a Sra. Nelson ser uma das pessoas mais legais que já conheci só deixa tudo ainda pior.

E acho que ela não precisa de ajuda extra. Mas não posso conversar com ela sobre isso. Não quero desistir logo de cara. Hoje somos eu, três mulheres e um cara fazendo serviço comunitário por mandado judicial. Seis, ao todo. Está lotado demais atrás do balcão, então a Sra. Nelson me pede para organizar algumas prateleiras. Coloco coisa demais sobre uma delas e a prateleira cai no chão. Por sorte, só quebrei algumas coisas. Limpar a bagunça pelo menos rende mais alguma coisa para todo mundo fazer. Só tivemos um cliente nos últimos 45 minutos.

Cansei de pedir para mais clientes entrarem na loja e o tempo passar mais rápido, quando Jayzo, Deeks e Dannii aparecem, todos tomando raspadinhas que compraram no posto. Como é que eles conseguem, nesse frio?

– Opa, olha só, é o Cereal – diz Jayzo, passeando pela loja.

– Cereill.

– O que você está fazendo nessa loja de pobre, Cereal?

– Eu trabalho aqui.

Ele faz um gesto insolente com a cabeça em direção a Sra. Nelson.

– Você não vai apresentar a gente para a sua mãe?

– Ela não é a minha mãe – digo num tom tão firme de negação que percebo que posso estar ofendendo a Sra. Nelson.

– Ah, então deve ser a sua namorada.

Deeks e Dannii dão risadinhas.

Fico vermelho de raiva e tento ignorar esses idiotas.

A Sra. Nelson se aproxima e pergunta se eles estão precisando de alguma coisa.

– Nem pensar – diz Dannii, depois de dar uma longa sugada no canudo. – A gente só está olhando mesmo.

Os três perguntam o preço de metade da loja. O cara do serviço comunitário está suando, e as mulheres estão fazendo cara feia. Ao saírem da loja, Jayzo derrama "sem querer" o resto da raspadinha sobre um carrinho cheio de livros de 1 dólar – os itens mais vendidos da loja. Eu me desculpo e tento limpar tudo, sentindo-me obrigado a fazer cara de quem concorda enquanto as mulheres falam sem parar sobre os jovens de hoje e especulam que aqueles provavelmente são dependentes de drogas. O cara do serviço comunitário e eu sorrimos um para o outro. A única droga que aqueles idiotas estavam tomando era açúcar – aliado a uma voltagem cerebral bem baixa.

Então a Sra. Nelson quer os nomes daqueles "valentões" para poder ligar para a escola. Consigo convencê-la de que eles são apenas "problemáticos" e peço para sair dez minutos mais cedo. A Sra. Nelson parece quase aliviada.

• • •

Minha mãe está na porta da frente quando chego em casa, parecendo mais feliz que o normal ao me ver. Antes que eu consiga entrar, ela enche meus braços com a comida de Howard, tigelas e brinquedos, me passa a coleira de Howard com Howard junto e diz para a gente desaparecer. Ela não consegue se lembrar se é permitido ter cachorros em locais onde se prepara comida para vender, e não tem tempo de checar as normas antes que os inspetores cheguem.

– Mas eu levo Howard para onde?

– Sei lá. Desapareçam por uma hora.

Eu fico ali, sem saber para onde ir.

– Vai, Dan. Eles vão chegar a qualquer momento – diz ela, dando-me um empurrãozinho encorajador.

Ela poderia ser pelo menos mais educada ao mandar embora seu filho único.

Estou carregando coisas demais para ir dar uma volta no parque. A casa de Fred fica a pelo menos dez minutos. As últimas opções são a casa de Estelle (= vergonha), ou de Oliver, o cara dos estábulos (= possibilidade de assassinato ou sequestro).

• • •

Estelle olha para mim, para Howard e para aquela coisa toda, claramente surpresa ao nos ver à porta dela.

– Se você está fugindo de casa, é melhor ir um pouco mais longe – diz ela, com um sorriso encorajador, quase fechando a porta.

– É que a minha mãe… quer dizer, é que Howard…

Ela deixa só um vãozinho da porta aberto.

– Se você está procurando uma família para Howard, não é o nosso caso. Desculpe. É que a gente não é tão legal assim. E todo mundo sabe que ele faz xixi dentro de casa. – Ela fecha a porta com firmeza, ou talvez tenha sido só o vento.

Andо meio quarteirão e viro à direita, ao lado da casa com bicicletas e bandeiras de preces tibetanas na varanda, entro numa rua de paralelepípedos, viro à direita novamente e estou de volta à rua que leva à parte de trás da nossa casa. Continuo andando e paro ao lado da porta do fundo do estábulo. Tem música vindo lá de dentro. The Pixies, "Motorway to Roswell". Meu pai tinha aquele CD. Para onde foram todos aqueles CDs? Não ficaram com a gente. Será que meu pai levou tudo? Será que os interventores ficaram com eles?

Bom, pelo jeito o cara do estábulo está em casa. Será que me arrisco? Então, percebo que não preciso. Não tem problema nenhum me sentar ali e esperar uma hora. Dilema resolvido.

Se não estivesse tão frio, eu estaria perfeitamente confortável sentado aqui apoiado na nossa lixeira azul para lixo reciclável. Posso sentir o cheiro dos bifinhos de Howard; eles têm um cheiro delicioso de bacon. Ele está vivendo no maior luxo com o estoque que Adelaide deixou. Sendo o cheiro tão bom, será que o gosto é muito ruim?

Ouço um clique e um zumbido eletrônico, e um portão se abre um pouco à frente na rua. Estelle aparece com os braços cheios de jornais. Ela quase pula ao me ver sentado entre nossas lixeiras de reciclagem. Talvez ela tivesse a impressão de que eu estava prestes a comer um biscoito de cachorro. O que se deve dizer numa situação dessas?

Vou de:

– Oi.

– Mas o que é isso? O que você está fazendo aqui? Você se trancou para fora?

Naquele momento, ouço a voz da minha mãe. Ela está falando com os inspetores.

– As latas de lixo nunca passam por dentro da casa; elas ficam na rua de trás – diz ela.

A voz está se aproximando.

– Vou trazer as latas de lixo aqui para dentro agora, se vocês quiserem dar uma olhada. Elas ficam aqui.

– É a sua mãe, não é? Então você pode entrar pelo portão dos fundos – diz Estelle.

Faço que não com a cabeça, furiosamente. Tenho que explicar coisa demais, não há tempo suficiente para isso, e mesmo assim não consigo pronunciar uma palavra sequer.

– O que foi? – pergunta Estelle, perplexa. – Ela o expulsou de casa? – Ela olha para a comida de cachorro. – Você está com fome?

Howard começa a latir e a ganir, como se estivesse preocupado. Bem-vindo ao clube.

Em vez de dar uma resposta racional a Estelle, faço que não com a cabeça de novo e passo a mão em frente ao rosto para lá e para cá numa tentativa demente de dizer "cala a boca" ou "não posso falar", enquanto nosso portão está sendo destrancado bem atrás de mim.

Estelle fica cada vez mais confusa enquanto pego Howard e toda a sua parafernália, levanto-me e corro rua abaixo o mais rápido que posso, bem na hora em que o portão se abre.

Howard, empolgado com essa agitação toda, late como um doido enquanto saímos correndo. Nem me atrevo a olhar para trás. Ao chegar ao final da rua, eu me agacho, quase sem ar, perto do primeiro portão que vejo aberto. É o quintalzinho da loja da esquina. A cerca que dá para a rua está coberta de jasmim – que está empurrando a cerca ou ajudando a mantê-la de pé. No quintal estão pilhas de caixas e pallets vazios, latas de lixo e um banheiro externo. Um gato preto e outros dois rajados trocam arranhões desanimados numa poça de sol de inverno. Seguro a coleira de Howard com força. Ele está latindo, e os gatos, miando, mas o rabo de Howard está balançando que é uma coisa de louco. Ele deve ter o gene da agressividade contra gatos.

Howard se solta bem na hora em que uma mulher sai pela porta dos fundos da loja. Ele pula em cima dela, com o rabo mais parecendo uma hélice. Ela lhe faz um carinho nas orelhas, bem do jeito que ele gosta.

– E quem é o seu amigo, Howard? – pergunta para ele, sorrindo para mim. – Você é o sobrinho, rapaz?

– Meu nome é Dan. Acho que sou o sobrinho-neto, ou coisa assim.

– Prazer, Dan. Meu nome é Mary Da Silva. Espere aqui só um pouquinho – diz ela.

Ela volta em um ou dois minutos e me dá um saco de papel.

Noto os brincos enormes de diamantes que ela está usando. Então foi ela que ficou com as joias. Os brincos ficam horríveis mas ao mesmo tempo bem legais com o sári rosa-shocking e o moletom felpudo vermelho que ela está usando.

– Ossos – diz ela, apontando para o saco de papel com a cabeça. – Dê um para ele uma ou duas vezes por semana. É bom para os dentes. Antigamente eu alimentava a turma toda quando levava o jantar para Adelaide. Aqueles três ali se mudaram para cá quando o serviço de delivery acabou. Você pode levá-los de volta, se quiser.

Faço que não com a cabeça.

– Minha mãe é alérgica. E acabou de abrir um negócio de comida em casa. A gente nem sabe se vai poder ficar com Howard. – Percebo que estou falando um monte sobre assuntos particulares e, até onde sei, o marido dela poderia ser o inspetor da vigilância sanitária. – Mas não conte para ninguém, por favor. Eu não aguentaria ficar sem ele.

Ela dá um toquinho na lateral do nariz.

– Sou um túmulo, Dan. É assim mesmo que se diz? Ou será que a gente fala "sepultura"? Tipo, "vou levar seu segredo comigo para o túmulo"?

– É isso mesmo.

– Muito obrigada. Sua mãe nunca parou de visitar Adelaide, mas ela não quis ver a sua mãe quando estava no fim. Tentei deixar o pessoal da limpeza entrar também, porém ela não deixou. Ela disse que já tinha visto gente o suficiente, e que já tinha falado o suficiente também.

Howard está olhando para ela com o rabo baixo, como se entendesse o que ela está dizendo.

– Você não precisa de alguém para trabalhar na loja, né?

– Não. Mas você pode tentar no Café Phrenology. Fale com o Ali, o cara alto e careca. Ele está sempre precisando de gente para trabalho temporário.

• • •

Tomo bronca em casa por ter ficado perto demais quando os inspetores chegaram, mas não é nada sério. Minha mãe ganhou o sinal verde oficial para a cozinha operar comercialmente. Qualquer um acha que ela ficaria feliz, mas, depois do jantar, ela fica ali sentada com uma cara de cachorro que caiu da mudança ouvindo Radiohead, então a deixo entrar em contato com sua tristeza e sua banda favorita, e vou lá para cima para a minha primeira sessão de malhação com os pesos.

Deitado de costas no chão, e com os braços esticados formando um T, posso ver duas coisas que me deixam desconfortável. A primeira são bolas de poeira que devem estar se reproduzindo em cativeiro debaixo da minha cama. Escondido naquela poeira toda está um presente que ganhei do meu pai, mas ainda não abri.

Parece que seria muito mais fácil acostumar-me com a ideia de o meu pai ser gay se ele tivesse ficado com a gente – assim, eu poderia ter falado com ele. Mas logo de cara eu já sei que não é justo. Ele está me ligando desde que foi embora. Então, tecnicamente, sou eu quem não está disponível para essa conversa.

Howard é o único com quem eu posso falar sobre isso. Estou começando a pensar que me acostumar com esse lance de o meu pai ser gay é tipo entrar no mar. A água fica insuportavelmente gelada por um tempo, mas, quando a temperatura fica gostosa, você fica pensando qual era o problema. Infelizmente, até agora a água não passou das minhas canelas, e estou dando passinhos de formiga.

Levantar os dois halteres é um desastre, e acabará comigo. Não importa quanto eu me esforce: não consigo erguer os dois do chão. Levantar só um, com as duas mãos, até o meu peito é bem mais fácil.

A segunda coisa que não consigo evitar no meu campo de visão é o teto. Logo acima do teto fica o sótão, e ao lado dele fica o sótão de Estelle.

Estou obcecado por Estelle. Está me matando saber o quanto a gente tem em comum, e como eu sou incapaz de falar sobre isso com ela pelo simples fato de não ter habilidade social nenhuma. (Como eu descobri que a gente tem tanto em comum pertence a uma categoria de preocupação que não posso discutir nem com Howard.)

Quando penso na lista dos micos até este momento, parece improvável que venha a conseguir ser amigo de Estelle um dia, e muito mais improvável ainda que a gente chegue a uma situação minimamente romântica.

Estelle já me viu:

1) Virar a cabeça ao me chamarem de "idiota" – uma beleza de primeira impressão.
2) Esquecer de levar Howard para casa.
3) Não conseguir responder a uma pergunta simples na aula de matemática.
4) Quase vomitar na aula.
5) Desmaiar na aula.
6) Agir como um imbecil completo na rua de trás de casa.

Será que dava para eu ter dado uma impressão pior que essa?

Quando é que essa maré vai mudar?

Na minha falta de habilidade para qualquer coisa, perco a conta das repetições e deixo o halter cair na minha cara sem querer.

Capítulo 12

Obviamente, minha mãe não consegue ouvir meu gemido de dor por cima dos gemidos de dor do Radiohead – de outro modo, tenho certeza de que ela teria vindo correndo escada acima. Assim, tenho eu mesmo de aplicar os primeiros socorros. É fácil fazer uma compressa fria quando a água que sai da torneira mais parece gelo. Acho que fiz tudo direito, então fico surpreso ao ver como meu nariz e meu olho esquerdo estão inchados na manhã seguinte. Parece até que levei uma baita surra.

Enquanto ensaio uma conversa básica de gângster comigo mesmo no espelho – "Ah, mas você precisa ver o outro cara" –, percebo que preciso muito fazer a barba. Já faz um tempão. Mas como é que se faz isso? É o tipo de coisa que eu já teria perguntado ao meu pai se soubesse que ele ia sair de casa. Apesar de todas as outras coisas no banheiro, do paracetamol aos absorventes internos, virem com instruções e avisos detalhados, a lâmina de barbear não vem. Não quero me arriscar a tirar um bife do meu lábio superior, mas não posso nem sonhar em pedir instruções à minha mãe – seria como esfregar sal na ferida-do-pai-ausente. Talvez exista um produto tipo "minha primeira lâmina de barbear", com ilustrações passo a passo para gente sem noção. Ou talvez não. Bom, vou adicionar "pelos faciais desgrenhados de alguém que foi criado por lobos" à minha longa lista de características charmosas.

Bem-acostumada ao meu jeito atrapalhado, minha mãe solta apenas um "Ó, querido" meio distraído ao me ver. Ela tenta adivinhar – "tropeçou na sua calça", "caiu da cama", "abriu a janela e acertou o rosto" – e faz que sim com a cabeça quando conto o que aconteceu.

– Nota dez em originalidade – diz ela, bagunçando meu cabelo antes de sair de casa.

Quando chego à escola, o Sr. Pittney me dá uma olhada e me pede para segui-lo. Depois que eu finalmente convenço o cara de que não estou sofrendo bullying, ele assume uma expressão mais calma e começa a me perguntar como é que estão as coisas em casa. Digo a verdade: o melhor possível diante das terríveis circunstâncias, que incluem a perda repentina de nossa fortuna, a mania de Radiohead da minha mãe, que só está piorando... Mas ele me interrompe. Ao me levar para fora da sala, ele me garante que ouvir o rádio é bem seguro, e que a porta dele está sempre aberta. Ele a fecha na minha cara, enquanto ainda fico imaginando se posso perguntar a um cara de bigode sobre como se barbear sem parecer que estou tirando uma da cara dele. "O senhor sabe usar uma lâmina de barbear, Sr. Pittney?". "Alguma dica sobre barbeadores e afins, Sr. Pittney?"

Ah, não ia rolar mesmo.

Na hora de ir para casa, o corredor da escola está cheio de uma energia meio maluca, que se alastra com uma velocidade incrível. Todo mundo está falando, gritando, rindo, berrando. Conversando sobre limusines e vestidos e quem-vai-com-quem. Acabaram de anunciar que vai rolar um baile do Nono Ano. Fico de olho na multidão em busca de outro rosto nada animado: Lou. Muito obrigado. Ela vem falar comigo.

– É o primeiro baile da escola em dois anos. Por isso esse nível de histeria – ela explica. – O último foi por água abaixo quando alguém dedurou para a polícia que estavam usando drogas na escola.

– E eles encontraram alguma coisa?

– Quase nada, mas a reputação ficou. E o jornal daqui deu uma manchete com algo como "orgia de menores movida a drogas", então foi bem engraçado.

– Você vai? – pergunto.

– Não, a não ser que seja obrigatório – ela diz.

– Eu também não – respondo. Mas na verdade estou pensando "a não ser que eu vá com Estelle".

Meu armário foi arrombado de novo. Esse é outro grupo que estou aprendendo a amar: os caras que sonham ser manos mas nunca conseguem evitar as pegadas de suas patas encardidas. É impossível ficar bravo com esse pessoal idiota o bastante para deixar sua marca registrada na cena do crime. Um cara da turminha de torcedores do FBK me cumprimenta com um aceno reservado de cabeça. Respondo na mesma moeda.

Ao enfiar a mão no meu armário, percebo uma porção preocupante de pulso e antebraço saindo do meu moletom cinza. Acho que já deveria estar usando um tamanho maior de roupa, mas, quando a gente comprou essa blusa nas férias, servia direitinho e ainda tinha espaço para crescer. Olho para baixo. Minha calça também está curta demais. Isso é bom. Pelos no rosto, nariz inchado, olho roxo, roupas que não me servem direito – esse lance de me tornar um cara descolado está dando supercerto!

• • •

Ao entrar em casa, consigo ouvir uma gritaria abafada vindo dos fundos. Largo minha mochila e vou para a cozinha. Quando abro a porta, pronto para dar o bote, se necessário, minha mãe levanta as mãos como quem diz "espera aí". O CD "Amnesiac" está tocando ao fundo, e uma moça está apontando para uma cadeira vazia, soluçando:

– ... e esse casamento não é só para mim, não tem a ver só com o vestido, o meu bolo e a minha mãe. Graças a Deus eu descobri que monstro mesquinho você é antes que fosse tarde demais.

Ela olha para a minha mãe, que faz que sim com a cabeça calmamente em seu sinal de aprovação. E então a mulher se levanta e chuta a cadeira.

– Cachorro!

Pelo jeito, a cadeira vazia é seu em-breve-ex-noivo. Ela cai no choro e joga os braços ao redor da minha mãe.

Mais um que vai pras cucuias.

• • •

Howard e eu vamos ao Edinburgh Gardens para dar umas voltas na pista oval. Ele está arrastando um pouco as patas, no entanto, consegue manter o ritmo.

Já estamos correndo há uma hora e ainda não consigo descobrir uma maneira de fazer a minha mãe parar de convencer suas clientes contra a ideia do casamento. Ela está dando um tiro no pé, mas quem sou eu para falar alguma coisa? Não é óbvio que as pessoas têm de seguir em frente com o casamento para encomendar o bolo?

Quando chego em casa, minha mãe está cantando toda feliz ao som de "No Surprises", que deve ser sua música favorita do Radiohead.

– Ela mudou de ideia? Vai encomendar o bolo?

– Ah, não – responde vagamente.

– Então por que é que você está cantando? Você não acabou de perder mais uma cliente?

– Sim, mas ela ia encomendar o Rosa Errante.

O Rosa Errante é o bolo mais caro da linha toda. São três andares cobertos com rosas cor-de-rosa feitas de chocolate e fitas de marzipã.

– Mas não vai mais?

– Mas só porque ela não vai mais se casar. Ela adorou o bolo!

– Mas que… beleza.

Subo para tomar banho. Ela está iludida e talvez precise de ajuda profissional. O que é que eu faço? Meu pai saberia o que fazer. Mas, se ele estivesse aqui, ela não estaria passando por isso. E ele não está, então eu terei de fazer alguma coisa. Não quero voltar lá para baixo e dar uma de adulto. Prefiro ser o filho cujos pais estão passando por maus momentos.

Para me preparar, tento incorporar o espírito do meu pai: firme mas bem-humorado. Respiro fundo o bafo de tomate e alho e vou de cabeça.

– Você não pode continuar convencendo as pessoas a desistirem do casamento.

– Mas eu só quero que elas considerem os prós e os contras.

– Mas você está exagerando nos contras. E esse não é o seu trabalho. O seu trabalho nisso tudo é fazer o bolo.

– Eu preciso conhecer as pessoas melhor para poder oferecer o bolo certo. E como é que posso fazer um bolo ético para elas se acho que estão cometendo um grande erro?

– Você está jogando todo esse lance anticasamento para cima delas.

– Não estou, não.

– Tudo o que você precisa saber é a data do casamento e o número de convidados e fazer com que elas escolham um bolo do álbum de fotos.

Fico esperando a resposta.

– E esse negócio da cadeira? Pelo amor de Deus! Você não é uma psicóloga desses programas vespertinos da TV!

Ela serve o arroz. Expressão: neutra. Ela está pensando, absorvendo tudo. Espero.

Capítulo 13

Ao chegar da escola no dia seguinte, vejo que minha mãe mandou imprimir uma pilha de folhetos na Officeworks da esquina. Dou um suspiro de alívio. Alguma coisa do que eu disse na noite passada deve ter funcionado. Quem sabe ela voltou ao mundo normal?

No entanto, minha alegria não dura muito. Ela quer que eu leve um monte de folhetos para a sala dos professores na escola. Será que ela está de brincadeira? Não. E é difícil discutir com a sua lógica. Sempre tem algum professor que está prestes a se casar. É o passatempo número um deles, ou alguma coisa assim.

Tenho certeza de que virar garoto-propaganda de bolos de casamento é mais um degrau na escala do suicídio social, então chego bem cedo na manhã seguinte para enfiar uns folhetos por debaixo da porta da sala dos professores. E é isso. Depois da aula vou distribuir o restante numas lojas. O alívio de cumprir a minha missão sem ninguém me pegar em ação não dura muito também – Jayzo pega um punhado de folhetos da minha mochila no armário.

– Vai dar uma festinha, idiota? – Mas, provando que na verdade sabe ler, ele diz: – O que você tem a ver com esse negócio imbecil de bolo de casamento?

Tento ignorar o cara. Na teoria, é uma ótima tática. Mas e o nível de sucesso? Para mim, as chances devem ser de uma em 20. Ele esfrega um folheto na minha cara. E machuca meu rosto, que já estava acabado.

– Eu fiz uma pergunta para você.

– É a empresa da minha mãe – digo entredentes.

– Ah, é?

Ele dobra o folheto com todo o cuidado e o coloca no bolso, com uma risadinha.

Enquanto ele sai andando, Lou diz:

– Acho que ele gosta de você.

Tenho de apresentar Lou a Fred.

• • •

A caminho de casa, paro em todas as lojas para distribuir folhetos. Quando chego ao Café Phrenology, o cara careca, Ali, está sentado num banco de bar perto da janela, falando com um velho. Então eu entro e espero.

É um café confortável e caseiro. Piso de concreto vermelho, um balcão comprido de mármore, biscoitos naqueles vidros antigos de farmácia, cadeiras de madeira de vários estilos, bolos em suportes decorados, xícaras e pires com estampas florais e descombinadas numa prateleira na parede, tulipas amarelas numa chaleira de ágata azul, cardápio na lousa, lâmpadas penduradas em fios compridos em vez de lustres, um baú de madeira bem fundo pintado de verde-alface e cheio até a metade de baguetes. Eu quero trabalhar aqui.

Duas mães estilosas estão entretidas em sua conversa enquanto seus filhos transformam um pedaço de bolo numa bagunça cheia de baba – espalham um pouco na roupa, na mesa e, por incrível que pareça, também conseguem comer um pouco.

Ali nota a minha presença e lança um olhar impaciente para a menina atrás do balcão, que está lavando copos.

– Pois não? – ele pergunta, chamando a atenção dela. Reconheço o cabelo ruivo-escuro antes que ela olhe para mim com uma expressão de reconhecimento. É a amiga de Estelle, Janie. Ela enxuga as mãos no avental preto.

– Pois não? – pergunta ela com um sorriso aparentemente educado, mas sei que está louca para me mandar para aquele lugar.

Eu finjo estar concentrado nos bolos e pães doces empilhados numa estufa de vidro sobre o balcão.

– Esses daí estão com uma cara boa.

Janie revira os olhos cheios de rímel.

– Você vai escolher um? – E então, baixando a voz: – Ou prefere que eu leia a sua mente?

– Eu vim perguntar se vocês têm uma vaga – respondo. Se eu tivesse dinheiro, teria perdido a coragem, comprado um pedaço de bolo e saído correndo.

– Ele quer saber se tem vaga – ela diz para Ali e caminha para a pia.

Ali tem uns 35 anos. Calça jeans preta, suéter preto, barba por fazer meio preta. Alto, com cara de poucos amigos. Ele seria um segurança perfeito. Ele me olha com tanta atenção que, ao ir até ele, sinto que estou carregando uma placa enorme no pescoço que diz:

DESAJEITADO

SEM EXPERIÊNCIA

NÃO ME CONTRATE

– Oi, meu nome é Dan – apresento-me, enquanto uma dica do meu pai vem à superfície: olhe nos olhos dele e aperte a mão do cara. O aperto de mão dele mais parece um torniquete.

– Quantos anos você tem?

– Quase 15.

– Volte depois do seu aniversário.

Eu estava esperando por essa.

– Estou disposto a treinar sem ganhar nada até fazer 15 anos. Eu preciso muito de um emprego.

– Você tem experiência?

– Não nessa área.

O único emprego que tive na vida foi como jornaleiro quando eu tinha uns 12 anos, mas, em vez de andar para distribuir os jornais, meu pai acabava me levando de carro, na maior parte das vezes.

– E por que você acha que tem talento para trabalhar em um café?

– Eu adoro comida e tenho interesse na indústria de serviços.

Eu ensaiei tudo isso, mas acaba soando como alguma passagem de "Primeiras Entrevistas de Emprego para Idiotas". Será que ele acreditará em mim?

– Você consegue aguentar um chefe que grita às vezes?

Bom, de acordo com a Sra. Da Silva está mais para "o tempo todo", então estou preparado para essa também.

– Estou acostumado. Meu pai vivia gritando.

– E ele parou?

– Mais ou menos. É que ele não mora mais com a gente.

O olhar pensativo dele me faz falar sem parar. Espero que ele não ache que meu pai mora na minha cabeça, ou alguma coisa assim.

– Então agora somos só eu e minha mãe. Minha mãe e eu. Ela também tem uma empresa de comida. Bolos de casamento. – Tiro um folheto da minha mochila. – Será que posso deixar isso aqui na sua janela?

Ele dá uma olhada no folheto.

– Claro. Tá, vou lhe dar uma chance, mas você será remunerado. Se der tudo certo, a gente pode conversar sobre uma vaga de meio período quando você fizer 15 anos. Tudo o que você quebrar sairá do seu salário.

Vou começar no turno da manhã do sábado, da sete ao meio-dia e meia. Fantástico. Quando digo a ele que posso ajudar levando para casa a comida que sobrar, ele simplesmente sorri e sai pela porta dos fundos.

Assim que ele desaparece, Janie vem falar comigo. Sou tonto e dou um sorriso, imaginando que ela vai me parabenizar por ter conseguido o emprego. Mas ela só diz:

– Pare de ficar encarando a minha amiga o tempo todo na aula. Ela acha você esquisito.

Hoje é o solstício de inverno. São quase cinco horas, e o vento balança os galhos desfolhados das árvores contra o céu, que está escurecendo. Ao seguir para casa, passando pelas calçadas cheias de poças d'água, fico pensando se olho mesmo demais para Estelle na aula. Eu achava sinceramente que fazia isso de um jeito normal. Será que ela acha mesmo que sou esquisito ou isso é coisa de Janie? Será que Estelle me chamou mesmo de esquisito? Ou será que ela disse algo tipo "é meio esquisito quando um cara me encara assim na aula"? Faz toda a diferença.

• • •

Quando chego em casa, o telefone está tocando e minha mãe não está. Apesar de estar com a cabeça cheia de preocupação, eu me lembro de atender o telefone do jeito certo.

– "Eu Aceito" Bolos de Casamento. Pois não?

A voz do outro lado parece ser de alguém da minha idade.

– Pois não, idiota?

Ouço duas pessoas rindo ao fundo. E eles desligam. Valeu, Jayzo.

Meu coração está disparado, e sinto meu rosto queimar de raiva. O telefone toca de novo.

– O que você quer? – lato ao telefone. É a minha mãe.

– Dan, quantas vezes a gente vai ter que discutir isso? Por favor, atenda o telefone dizendo o nome da empresa. Você está sempre prontinho para me dizer como fazer as coisas, mas tem de fazer a sua parte também.

Ela liga para avisar que está num seminário sobre microempresas na biblioteca e que tem comida na geladeira.

Quando o telefone toca de novo dez minutos depois, acho que é ela ligando de novo para saber se está tudo bem. Mas não; é mais um trote.

– Você pode me ajudar a me jogar debaixo de um caminhão? – pergunta uma voz de menina.

Mais risadas, e eles desligam na minha cara de novo. Minutos depois, eles ligam de novo. Caramba, a turma toda deve estar lá.

– "Você Aceita" Bolos de Casamento? Ah, mas eu não aceito, não.

As brincadeirinhas não param. Eles ligam mais quatro vezes na próxima hora e não aguento mais. Ligo a secretária eletrônica. Ah, mas que surpresa: os trotes param na hora. Estou soltando fogo pelas ventas. Estou envergonhado. Preciso falar com Fred, mas quando ligo para ele, o Gazela me diz que ele está na aula de debate.

Antes de me preparar para ir dormir, libero um pouco da raiva com uma sessão de halteres. Por que eu continuo insistindo, apesar da dor nos braços e no rosto? Bom, agora é mais que necessário ficar mais forte e com uma aparência mais legal. Quero ser capaz de enfrentar Jayzo – e seu bando de hienas que adoram um trote –, o que inclui partir para cima dele, se for o caso. E, contra todas as probabilidades, não consigo parar de imaginar o inimaginável: que, de alguma maneira, vou ao baile da escola com Estelle. Apesar de saber que essa ideia é ridícula e que eu sou ridículo, graças às últimas notícias, imagens de nós dois juntos continuam invadindo meu pensamento.

Eu consigo ouvir Estelle no sótão, enfrento a zona da dor e entro de novo na zona da vergonha enquanto me lembro da minha segunda visita ao sótão.

Capítulo 14

No último fim de semana das férias em que nos mudamos para esta casa, Estelle e os pais dela iam viajar. Ela e a mãe estavam brigando, como sempre – Estelle não queria ir. Esperei até eles saírem e mais uma hora, para o caso de eles voltarem para pegar alguma coisa esquecida de última hora, antes de decidir que podia ir.

Ela não substituíra a caixa de livros que cobre o buraco na parede, então tive certeza de que minha primeira visita passara despercebida. Empurrei as caixas para longe da entrada do buraco que une o meu lado do sótão ao de Estelle, guardando a cordinha no meu bolso para depois colocar tudo de volta no lugar. Eu estava sendo folgado e premeditado. Vai ficar pior.

Uma figura veio em minha direção quando entrei no sótão dela. Meu queixo caiu de medo e surpresa, mas então me liguei que a figura era o meu próprio reflexo. Estelle trocara um dos espelhos grandes de lugar. Acalmei-me, dei uma olhada ao redor e fui direto para a escrivaninha. E não era à toa: eu tinha visto uma coisa muito especial ali na primeira visita. Eu ainda não me decidira a ir para o lado negro da força conscientemente. Mas bem que parecia. Era uma pilha de cadernos de exercícios que eu notara da primeira vez, e eles ainda estavam ali.

Prestando atenção na posição exata de todos os objetos sobre a escrivaninha, e mantendo tudo em ordem, meu coração sombrio me deu o sinal verde para ler os diários de Estelle.

Ela começara a escrever no sexto ano, e ainda mantinha esse hábito. O estilo dela era mais para os altos e baixos da semana do que escrever tudo em detalhes, apesar de ela sofrer, como eu, do mal crônico de fazer listas. Não tenho desculpa nenhuma para fazer o que fiz, mas posso dizer que li tudo tão rápido, como se alguém tivesse enfiado um pen drive na minha testa e clicado num ícone para fazer o download daquela informação toda. Meus olhos escanearam aquelas páginas a uma velocidade incrível. Eu voltava para o começo da página, sem conseguir acreditar que tinha lido mesmo tudo de uma vez só. Mas, por incrível que pareça, eu guardava cada detalhe. Eu estava morrendo de sede daquelas palavras. Precisava conhecer aquela menina, e esse fim justificava os terríveis meios. Não passei no teste nem raspando. E eu também não estava nem aí. Eu sabia que estava fazendo algo moralmente condenável. E fiz mesmo assim. Mas vale tudo no amor e na guerra, certo?

Certo?

Eu me identifiquei com os sentimentos da Estelle de 11 anos de idade em relação à viagem iminente de seus pais para o exterior – eu me lembro de pensar no mesmo tipo de coisa:

É oficial. ODEIO meu pai e minha mãe. Provavelmente eles nem são meus pais de verdade. Vamos ver se eles vão sentir a minha falta quando eu MORRER. Não estou nem aí se eles vão para Paris a trabalho. ATÉ PARECE que eu ligaria de perder duas semanas de aula naquela escola de MERDA. É bem capaz de eu pegar um vírus meningocócico, e então eles vão se arrepender, mas será TARDE DEMAIS.

Desde que ela me chamou de "esquisito" eu meio que me vingo ao me lembrar da briga que Estelle teve com Janie no sétimo ano. E tento não pensar que é capaz que eu mereça mesmo esse apelido.

É melhor Janie Bacon se DECIDIR com os amigos dela. Ela tem de decidir se gosta ou não de mim, e eu não estou nem aí. Logo ela descobrirá que não pode mais fazer esses JOGUINHOS comigo. Ela precisa se ligar e É AGORA. E eu é que vou ter de dar um jeito nisso antes que ela vire uma vaca de vez.

Um sorriso bobo e involuntário toma conta de mim quando penso nos sanduíches de nuvem dela:

Pego uma colherada bem doce daquela nuvem e espalho tudo numa fatia de pão. E depois coloco outra fatia por cima, mas bem devagarzinho para a nuvem não sair voando, e quando dou uma mordida, uns tufos de nuvem saem pelos lados, mas pego todos com a língua.. Tem gosto de manjar turco atomizado. Gosto de chamá-lo de sanduíche flutuante. Primeiro ele me fará sonhar que estou voando, e depois me fará voar de verdade.

Faço um intervalo entre as séries de pesos e repasso o inventário na minha cabeça pela milionésima vez:

Nossas bandas em comum são Hot Chip, TV on the Radio e Kings of Leon.

Nós dois odiamos clima úmido e voos longos e a maior parte da literatura de fantasia.

Adoramos fazer listas e tops 10. Ela cataloga tudo aquilo de que "gosta" e "não gosta" – bandas, livros, filmes, comida; no sexto ano, o doce favorito dela era um pirulito chamado Redskins, e o salgadinho favorito era Twisties. No nono ano, eram minhocas azedinhas e batatinha frita com vinagre. Na categoria bebidas quentes, era chocolate quente com marshmallows cor-de-rosa, e agora é *mocaccino*. O filme era *10 Coisas Que Eu*

Odeio em Você, e agora é *Romeu + Julieta* e *Donnie Darko,* do Baz Luhrmann.

Na época em que fiquei fuçando nas coisas dela, mesmo antes de a gente se conhecer, percebi que, apesar da minha admiração por ela só crescer a cada palavra que eu lia, a dela por mim com certeza diminuiria a uma proporção ainda maior se ela descobrisse o que eu tinha feito.

Agora que a conheço, mesmo que só um pouco, tenho certeza de que a situação seria mais terrível ainda.

Paguei um preço alto por um conhecimento que deveria ser conquistado, e não roubado. Foi um negócio ruim, e do qual não posso fugir. Como em todas as boas armadilhas, entrar é fácil, mas sair pode revelar-se impossível.

Capítulo 15

– Sabe quem é um cara legal? – pergunta minha mãe enquanto comemos mingau de aveia, num tom que sugere que estávamos falando sobre um cara que não era legal; e a gente não estava falando sobre nada disso.

– Não.

– Thom Yorke. Ele é um cara legal de verdade. – Ele é o vocalista e compositor da banda britânica Radiohead. Parece que esse interesse exagerado não passará tão cedo.

– E por que você acha isso?

– Porque ele faz tudo com paixão, Dan; ele se importa de verdade com tudo, ele tem paixão. A gente só precisa ver o cara cantando para perceber isso. Parece que ele vai estourar cada vaso sanguíneo da sua cabeça.

– E por que isso é uma coisa boa?

– Ele também é um ativista ambiental. – Ela coloca açúcar no chá, com uma expressão meio boba no rosto. – Ele se importa com as mudanças climáticas. Ele foi à conferência em Copenhague, pelo amor de Deus! Ele está ajudando o planeta!

– Tá. – Estou arrumando meu almoço para levar para a escola. Preciso sair daqui.

– E ele tem mais ou menos a minha idade, sabia?

– Não.

– Pois é. Então, por que é que eu não acabei ficando com ele em vez de ter me casado com o seu pai?

Quem é que sabe a resposta certa para essa pergunta? Hum... Porque vocês moravam em continentes diferentes? Porque você não conhece o cara pessoalmente? Porque ele é baixinho e você é alta? E nem vou mencionar que sou o resultado da união dela com a porcaria do marido. Não acho que sou o maior consolo nesse caso.

• • •

É óbvio que tenho de proteger minha mãe dos trotes ao telefone nesse estado tão frágil em que ela está, então faço uma coisa que nunca fiz antes na aula. Quando o Sr. Pittney termina um ponto da aula ainda de manhã com um "Então é isso?", eu me levanto e falo para todo mundo da classe ouvir. Voluntariamente. E não é para nenhuma avaliação. É estranho, não foi uma decisão que eu tomei conscientemente; é como se eu estivesse me vendo fazer uma coisa e não tendo poder nenhum para impedir isso de acontecer, apesar de saber que vou me dar mal.

Vou até a frente da sala e levanto um folheto, e meu rosto fica cada vez mais vermelho enquanto penso no que estou fazendo ali. Mas agora é tarde demais.

– Essa aqui é a empresa da minha mãe. Ela faz bolos para casamento. E ela está passando por dificuldades. Meu pai saiu de casa faz uns dois meses. E perdeu todo o dinheiro que tinha. Ou a gente não tinha grana, sei lá, foi algo assim. Então minha mãe tem de fazer esse negócio dar certo, ou não vamos mais conseguir sobreviver. E não estou falando de viajar nas férias, nem dirigir um carrão de luxo; estou falando de comida mesmo. Então, por favor, não liguem para esse número, a não ser que precisem encomendar um bolo de casamento.

Estava na cara que Pittney não estava prestando muita atenção, como sempre.

– Obrigado. Bom, então, se quiser um bolo de casamento, já sabe onde encomendar. Mas não quero mais saber de gente fazendo propaganda na aula, tá? Obrigado, Cereal.

– Cereill.

– Claro, Cereill.

Estelle está me olhando com cara de curiosa. Provavelmente está adicionando "ele esfrega assuntos de família na cara de todo mundo" à minha lista. Jayzo está dando risadinhas maldosas, mas encaro os olhos dele do jeito mais ameaçador que consigo. É melhor ele entender a mensagem logo ou vou ter de tomar medidas mais drásticas, como... não tenho a menor ideia. Até meus músculos se desenvolverem, palavras atravessadas são a única coisa no meu arsenal.

Jayzo grita:

– Quem quer pus e miolos crus?

Nossa, que beleza. Agora ele está tentando me fazer desmaiar, enfiando o dedo na ferida. Lou lança um olhar de compaixão para mim.

– E que tal um fígado cru e um pouco de ranho? – pergunta Jayzo.

Volto para o meu lugar bem a tempo, em meio a risadinhas e os "vamos fazer silêncio" meio confusos do Sr. Pittney.

• • •

Naquela noite recebemos mais cinco trotes. Parece que ter ido falar à frente só inspirou o pessoal que ainda não havia ligado aqui em casa. Atendo o telefone e digo para minha mãe que é engano.

Talvez não devesse ser um negócio tão importante, mas é. Odeio usar minha voz profissional e educada e falar o nome imbecil dessa empresa, só para tomar na cabeça, sabendo que é alguém que vou ver na escola na manhã seguinte. O anonimato transforma a classe inteira em inimigos. Se todo mundo sorri, parece que estão tirando uma da minha cara. O pessoal continua ligando por mais alguns dias.

Na escola, eles me chamam de "menino do bolo", o que não é melhor nem pior que idiota, ou cereal, mas eu me sinto mais exposto que antes. Eu apelei para a bondade das pessoas, e contei o que estava rolando em casa, e agora elas estão usando tudo isso para me atingir ainda mais.

Estou cheio de uma raiva sem sentido da minha mãe e da porcaria da empresa dela se intrometendo na minha vida. Eu sei que quem começou tudo isso foi meu pai, no entanto, ele não está por perto para levar a culpa e, além disso, acho que eu nem conseguiria ficar mais bravo com ele do que já estou. Mas está na cara: o problema não é com meus pais, é comigo, e com a minha falta de noção para lidar com essas coisas.

A vida na nossa casa gelada fica ainda mais fria. Eu mal falo com minha mãe. E ela mal percebe. Acho que ela está sempre tendo umas conversas íntimas (e mudas) com Thom Yorke. Às vezes, ela e Oliver tomam uma garrafa de vinho, mas, até onde eu sei, ela não se encontra mais com os antigos amigos.

Decidi que minha mãe provavelmente tem razão sobre Oliver. Ele parece ser um cara bem normal que dificilmente começaria a matar as pessoas por aí. Ele tem bom gosto musical, as pessoas que vêm visitá-lo aparentemente vão embora sem ter nenhum pedaço faltando, e não há montinhos de terra suspeitos no jardim.

É lá no jardim que converso com ele às vezes. Ele me conta que a cerca viva que vai até os fundos da casa e tem umas flores com cheiro de limão se chama dafne e que a árvore perto da minha janela é uma magnólia-branca.

E ele não se importa quando eu faço perguntas do tipo:

1) – Você sempre foi legal assim?
Ele só ri. E por um bom tempo.
2) – O que torna uma pessoa legal?
– Não é a coisa mais óbvia. Não é nada aparente. A coisa mais legal é ser a gente mesmo.
3) – E se você for um psicopata?
– Se você for um psicopata, então é melhor não ser você mesmo.
4) – O que você acha de alguém decidir que é gay aos 39 anos de idade?
– Acho que é melhor do que fazer isso aos 40. E ele está sendo ele mesmo.
5) – Como você acha que a minha mãe está lidando com tudo isso?
– Bom, ela não está ótima, mas também não está péssima.
6) – O que você acha desse lance do Thom Yorke?
– É uma fase. Ela não é louca. É tipo comer chocolate quando você fica triste. Mas muito mais saudável. E ela tem bom gosto.

Ele se dá bem com Howard e se oferece para levá-lo para passear quando tenho de ir para o café depois da escola, o que agora acontece às quartas e sextas-feiras – e Ali irá avaliar a minha situação daqui a uma semana, quando eu fizer 15 anos.

Ele me cumprimenta com um "oi, cara", mas que não soa imbecil quando ele diz. Quando ele sugere que eu deveria fazer a barba, solto um "eu não sei como é que faz". E foi assim que comecei a visitar o estábulo, porque ele disse que eu poderia ir lá ver como é que ele se barbeia. Parece pessoal demais, eu sei, mas pensei "E daí? Não tem mais ninguém se oferecendo".

Ele transformou o estábulo num loft enorme. O lugar é forrado de estantes altas cheias de livros, CDs e DVDs. Num canto, fica a cozinha e, no outro, o banheiro. Depois de um lance de escadas, fica um mezanino com a cama dele e, depois de mais um lance de escadas, outro mezanino com um tipo de escritório. O loft tem uma mesa de jantar comprida com 12 cadeiras, um "U" gigante feito de sofás bem fofos e uma tela enorme na parede. A bicicleta dele fica pendurada na parede como se fosse uma obra de arte, e também tem bastante arte de verdade por ali. Dou uma olhada rápida, mas sei que é exatamente o tipo de casa que quero ter quando for mais velho.

– Gostou? – Oliver pergunta.

Faço que sim com a cabeça.

– Como é que você veio morar aqui?

– Você sabe que Adelaide era amiga da minha avó e que eu cuidava dos jardins aqui quando ainda era estudante. Um dia, perguntei a ela se podia alugar o estábulo.

– E já era assim?

– Não, estava uma bagunça. Telhado quebrado, um monte de passarinho aqui dentro. Então fizemos um acordo: eu arrumaria tudo em vez de pagar aluguel. E ela gostou de ter mais alguém morando aqui, sentiu-se mais segura.

– Você sabia que ela deixaria o estábulo para você?

– Não fazia nem ideia.

Fazer a barba não parece ser tão difícil assim. Passe a espuma. Estique a parte do seu rosto que está sendo barbeada com as contorções necessárias. Passe a lâmina de barbear de baixo para cima, de cima para baixo ou de um lado para o outro, sempre na direção do cabo, e não na direção das lâminas. Oliver me dá um barbeador novo, me deseja boa sorte e me manda para casa. Talvez ele termine com a namorada, apaixone-se pela minha mãe e venha morar na casa grande – e eu poderei me mudar para o estábulo. Demais. Imagino festinhas legais e informais com Estelle e nossos amigos. É claro que só tenho Fred e Lou, mas esses detalhes não podem atrapalhar uma fantasia perfeita.

• • •

O trabalho no Phrenology é mais difícil do que parece. Nos primeiros turnos, eu acabo quebrando algumas coisas, mas não muitas. E tenho a oportunidade de conhecer o temperamento de Ali logo de cara. Ele é um perfeccionista impaciente, e os xingamentos voam pelo café como grãos de pimenta-do-reino, no entanto ele também relaxa rapidinho.

Estou aprendendo a usar a máquina de lavar louça que fica sobre o balcão, e a lavar a louça à mão quando a máquina está cheia – copos megalimpos, sem nenhum traço de batom. Aprendo a varrer de maneira metódica, colocando as cadeiras sobre as mesas, começando ao redor dos rodapés e em cada cantinho e indo até o meio do piso. Ali fica doido da vida ao me ver tentar limpar uma mesa pela primeira vez.

– O que é isso? – ele ruge, passando o dedo pelo borrão meio úmido que deixo sobre a superfície.

– Não sei... – E não sei mesmo o que fiz de errado.

– Isso aqui é vagabundagem. Parece que você é cego. E folgado. Faça isso mais uma vez e irá para o olho da rua.

Ele me mostra como fazer direito. Um pano bem quente, e torcido até ficar quase seco. Pegue todas as migalhas e sujeira na mão, e não deixe nada cair no chão.

– E o ingrediente essencial? – pergunta com cara de quem está me ameaçando.

Fico mudo.

– Força no cotovelo. Vai lá, moleque. Use os músculos!

Pratico com vontade na primeira semana até quase quebrar as costas. E então eu aprendo de vez. Ele nem precisa me lembrar de novo. Assim que me acostumo com Ali latindo na minha orelha, ele para. A gente borrifa e limpa a mesa ao final do dia com uma mistura de água e óleo de eucalipto. Aquele cheiro fresquinho se mistura com os cheiros da manhã. No meu primeiro turno de sábado de manhã, fico conhecendo Anne, a mãe de Ali. Ela começa a cozinhar às seis da manhã. Entro e já sinto o cheiro de alguma coisa no forno com casca de limão, pistache, nozes, mel e água de rosas. O aroma do primeiro café da manhã se mistura ao cheiro dos bolos. Ali é a única pessoa que pode ficar perto da máquina de café.

Eu limpo os copos e as panelas e tento aprender a andar entre as mesas e as cadeiras sem tropeçar. É como aprender passos de dança. Você anda para lá e para cá bem rápido. "Opa, atrás de você!", a gente vive dizendo para evitar colisões com outras pessoas que passam costurando pelo mesmo espaço.

Anne cozinha com toda a graça e faz tudo parecer tão fácil! Ela geralmente trabalha com sua amiga Irena. Elas conversam e dão risada enquanto enrolam, descascam, batem e mexem a massa. É como se elas tivessem feito isso sempre, a vida toda – tão diferente da abordagem focada, emburrada e científica da minha mãe.

O Café Phrenology está indo bem, mas a "Eu Aceito" Bolos de Casamento não está conseguindo decolar. Apesar da nossa discussão racional mais recente, minha mãe aconselhou duas clientes potenciais a não se casarem mais. Quer dizer, eu só sei dessas duas. Sabe lá quantas mais minha mãe já assustou.

A Sra. Da Silva não parece surpresa quando conto sobre as clientes perdidas da minha mãe.

– O problema é o casamento, Dan. E não tem como resolver isso se o negócio é de bolo de casamento. Talvez a gente consiga convencê-la aos poucos a fazer bolos para outras ocasiões especiais.

– Você acha que poderia falar com ela? Ela odeia quando venho com esse papo.

– Claro! – Ela faz que sim com a cabeça. – Você pode tomar conta da loja enquanto vou buscar uns ossos para Howard?

Fico atrás do balcão, olhando para o nada. Se minha mãe não conseguir fazer esse negócio virar, o que será da gente? Meu emprego no Phrenology ainda não é nada garantido, e não será suficiente para cobrir coisas como a conta de luz, que já atrasamos duas vezes – e na segunda vez veio em papel vermelho.

A Sra. Da Silva volta com os ossos e também me dá um saco de pirulitos – ela mesma faz os doces em casa e vende cada um por 50 centavos – por ter tomado conta da loja. Eu protesto, mas ela é uma mulher determinada.

• • •

Quando chego em casa, acabando com o último pirulito, minha mãe está sentada à mesa da cozinha, chorando. E não é um chorinho à toa: ela está soluçando, com o nariz escorrendo. Com base no rosto inchado e vermelho, posso dizer que ela deve estar chorando há um bom tempo.

– Eu achei que você estivesse trabalhando – ela diz.

– Já acabei. É hora do jantar.

– Eu não fiz nada.

Estou morrendo de fome. Sei que deveria oferecer compaixão e conforto à minha mãe. Sei que ela está passando por um momento difícil. E fico sentindo pena, mas não dela. Sinto pena de mim. Estou trabalhando pra caramba e aguentando merda na escola por causa da empresa dela, enquanto ela espanta as clientes. Eu entendo o transtorno de estresse pós-traumático na teoria, mas só consigo pensar que quero minha vida fácil – e a minha mãe – de volta. E o jantar.

Então, como um moleque mimado, eu digo:

– Não faz nada mesmo.

É como se eu tivesse dado um tapa nela.

– O que você falou? O que você acabou de dizer?

Pelo menos eu reconheço que é hora de calar a boca. Uma fúria repentina e incandescente substitui as lágrimas. Agora ela está berrando por entre os soluços.

– Você sabe como a minha vida está uma *merda* neste momento? Você sabe que a gente estaria morando na *rua* se não tivesse esta casa? Não temos *dinheiro* guardado, e se eu ficar doente vamos... e este lugar é um *chiqueiro*! Eu deixo a cozinha sempre limpa, mas você não levanta um dedo para me ajudar.

– Você nunca me pediu.

– Não pedi porque esperava que uma pessoa com *quase 15 anos* teria mais noção das coisas e seria capaz de colocar a roupa suja na máquina de lavar e não deixar uma trilha de bagunça pela casa, e que estaria *aqui* para me ajudar, pelo menos às vezes.

– Eu não fico em casa porque estou tentando ganhar *dinheiro*. Porque eu tenho de economizar para ir ao baile da escola e para comprar roupas que *sirvam* direito em mim.

Merda. Por que tive de falar sobre o baile? Eu nem vou a essa festa idiota. Mas ela está passando mal, e não vai se lembrar de nada do que eu disse mesmo.

– Não se atreva a gritar comigo. Estou tentando ganhar dinheiro também. E está muito difícil.

– Não seria tão "difícil" assim se você parasse de espantar suas clientes.

– Mas eu não espanto! Eu só as ajudo a mudar de ideia sobre o casamento.

– Ou talvez elas reconheçam uma louca quando vêm aqui e resolvam encomendar a porcaria do bolo em outro lugar!

Saio andando. Não consigo aguentar isso. Ando pisando firme pela casa, louco para quebrar alguma coisa, porém me contento em bater a porta do meu quarto, abrindo a porta de novo e a batendo com tudo mais uma vez. Um pedaço de gesso de cima da porta cai sobre uma grande pilha de meias e cuecas recicladas que venho usando ultimamente. Eu me deito no chão e pego os halteres. Estou puxando ferro duas vezes por dia agora, então está ficando mais fácil. A adrenalina invade meu sistema; nunca consegui fazer tantas repetições assim antes.

• • •

Minha mãe bate na porta do meu quarto.

– Dan? – Ela tenta virar a maçaneta. A porta está trancada.

– Vá embora.

– Fiz um sanduíche para você.

– Não quero. – E por acaso eu tenho cinco anos? Mas ela deve saber que estou mentindo, mesmo assim.

Eu a ouço deixar o prato perto da porta, com um suspiro alto. Ainda estou mordido de ódio e um impulso mesquinho me diz para não comer o sanduíche. Minha mãe parece não perceber que as coisas estão tão ruins para mim quanto para ela. Será que ela sabe como eu estou? Ou pergunta? Será que ela acha que foi divertido para mim ser expulso da minha vida e jogado nesse museu triste e frio?

Sempre achei que, comigo por perto, minha mãe teria de saber lidar com tudo e achar que a vida dela vai bem. Mas com certeza esse não é o caso. Isso tudo só me faz sentir vazio e desesperançado.

– Bom, pelo jeito, eu e Thom Yorke não somos o suficiente, Howard.

Ele me lança aquele olhar inabalável de psicanalista: se vira, cara.

– Mas eu não consigo. É por isso que estou falando com um cachorro. E imaginando que um cachorro está falando comigo.

Ele se vira para o outro lado, ofendido. Agora o mundo todo está contra mim.

– Desculpe. Eu não quis desdenhar da sua espécie.

Ele volta e fica quieto ao meu lado. Você poderia interpretar isso como uma tentativa dele de ficar mais quentinho, mas para mim parece perdão. Não sei exatamente quando isso aconteceu, porém ele é o meu cachorro e eu sou o humano dele.

Ouço um barulho vindo lá de cima. A menina inalcançável. Tão perto, mas que nunca esteve tão longe...

Capítulo 16

Relembrando a lista:

1) Beijar a Estelle.
Tá, pelo menos agora eu a conheço. Ela me acha esquisito. E ainda nem sabe que eu li seus diários. A não ser que a gente caia para a frente ao mesmo tempo, exatamente alinhados, lábios com lábios, e a gravidade dê conta do resto, ou que a gente vá parar num quarto escuro e, com a ajuda de umas trapalhadas shakespearianas, ela ache que está beijando outra pessoa, não sei como é que isso poderá acontecer.
2) Arrumar um emprego.
Consegui um emprego, provavelmente.
A situação financeira ainda está "braba".
3) Dar uma animada na minha mãe.
Falha total. Ela ficou louca de vez.
4) Tentar não ser um nerd/loser completo.
Falha total. Eu sou um loser completo.
5) Eu deveria falar com meu pai quando ele liga.
Ainda não consigo perguntar a ela: "Como é que você abandona a gente assim?". A outra coisa em que acordo pensando é "você não é quem eu achava que fosse" e "você já amou a gente algum dia?".
6) Descobrir como ser bom.
Falhando completamente.

Capítulo 17

Eu e minha mãe mal passamos um pelo outro em casa. Sempre que a conversa vai além do assunto comida, ou a que horas vou chegar em casa, a gente acaba brigando – e nenhum de nós quer isso. Ela precisa de uma ilusão tipo "família feliz", e eu não consigo mais brigar.

Eu queria fazer mais perguntas a ela sobre o meu pai, mas não posso. Bem que eu queria conversar com ela sobre como não quero ver o meu pai, e ao mesmo tempo tenho saudade dele. E como penso bastante nesse lance de o meu pai ser gay. Será que ele sempre soube? Ou foi inesperado, tipo um ataque cardíaco ou um espirro? Será que existe um negócio tipo amnésia sexual? É tudo tão confuso! E, sob o peso de tudo que não é discutido, a mensagem irritante "seu pai ligou" emerge toda semana.

– Fala para ele parar de ligar.

– Fale você.

– Mas eu não quero falar com ele.

– Nem eu. E não quero que ele ache que não estou dando os recados, então, por favor, ligue para ele.

Nessa eu não vou ceder.

– Um dia ele se cansa e desiste.

– Não se esqueça de que ele deixou aquele presente para o seu aniversário.

– Eu nem sei onde está.

Howard me olha de sua cama feita de blusas de lã, com a cabeça virada para o lado, cético.

Coço as orelhas dele, tentando descobrir como é que ele sabe que estou mentindo, enquanto finjo ouvir tudo o que minha mãe diz.

– É que... ainda estamos sem dinheiro. Comprei uma lembrancinha para você, mas não será como os seus outros aniversários.

– Jura?

Ganho um olhar de decepção de Howard.

Sei que estou sendo malvado, porém não consigo parar. É como se a ferramenta de edição da minha bile estivesse quebrada. É melhor não dizer nada.

É mais para evitar minha mãe que estou frequentando o grupo de leitura depois da aula. Isso e o fato de que Estelle também frequenta.

E Lou diz:

– Você vai adorar. É tipo a aula de inglês na escola, só que sem os idiotas.

A professora de inglês mais jovem, a Srta. Griffin, é a responsável pelo grupo. Ela tem cabelo ruivo, e fica tão empolgada que suas bochechas e orelhas ficam cor-de-rosa.

Olho de relance para Estelle algumas vezes e, só para piorar a situação, ela olha para cima e me pega olhando para ela, então desvio o olhar imediatamente. Agora estou competindo com a Srta. Griffin para ver quem fica mais vermelho. Mas é como se Estelle fosse um ímã e eu, metal, e no segundo em que não me concentro para não olhar para ela, acabo encarando a menina de novo. Agora Estelle e Janie estão olhando para mim e posso ler o balãozinho de pensamento sobre a cabeça da amiga dela: "Pare de encarar a minha amiga, seu tarado".

A Srta. Griffin lê um conto de Raymond Carver em voz alta. É um texto simples e limpo de que eu gosto logo de cara. O conto se chama "Ninguém disse nada"; é sobre um moleque que mente para a mãe, mata aula, masturba-se e então o que acontece quando ele vai pescar. A discussão é sobre como algumas decisões dão em confusão, e como todo mundo tem de passar por problemas do seu próprio jeito, e sozinho. Não falo nada, mas é incrível como me identifico com a história.

Ao final da discussão, despeço-me de Lou e saio andando na mesma direção que Estelle e Janie. É a oportunidade perfeita para caminhar ao lado delas – ser eu mesmo, me enturmar etc., mas é claro que não vou. Elas falam baixo enquanto caminham. Eu me sinto obrigado a mandar um "ahã" alto, caso as duas não percebam que estou atrás delas. Quando elas me veem ali, param de conversar, então eu atravesso a rua e ando na calçada do outro lado. Fico me sentindo muito visível, porque vamos para casa exatamente pelo mesmo caminho, e quando chegamos lá tenho de atravessar a rua de novo.

– A gente não morde, viu? – Janie dá uma cutucada, e elas desaparecem atrás da porta carmesim brilhante da casa de Estelle.

• • •

Na cozinha, a Sra. Da Silva e minha mãe estão tomando chá de hortelã, e minha mãe parece um pouquinho menos esgotada do que tem andado ultimamente. Eu pego um negócio para comer.

– Sinto muito pelo prazo apertado, mas a filha que prometeu fazer está cheia de trabalho – diz a Sra. Da Silva.

– Não tem problema ser para amanhã – diz minha mãe. – Vou assar o bolo hoje à noite e decorar amanhã cedinho. Eles podem vir buscar a partir do meio-dia.

Olhando para mim, ela explica:

– Mary me pediu para fazer um bolo para um velório.

A Sra. Da Silva me dá uma piscada. Quase engasgo com meu sanduíche de banana com manteiga de amendoim. É genial – minha mãe não pode convencer uma pessoa morta a não morrer.

– A prima de segundo grau de que eu lhe falei – diz a Sra. Da Silva, com uma careta filosófica.

– Câncer no fígado – eu lembro.

– Foi tão rápido. E ela tinha 88 anos. Então... – A Sra. Da Silva cruza os braços sobre o peito, satisfeita com a ideia de que existem maneiras piores de morrer. Hoje ela está usando um sári cor de laranja, com um colete de moletom roxo por cima. Ela é louca por moletom.

– Dan, você pode colher umas violetas, por favor? – minha mãe pede.

– Sua mãe está fazendo um bolo de chocolate com uvas-passas embebidas em rum, com cobertura de ganache de chocolate e polvilhado de violetas confeitadas e lascas de folha de ouro.

– E é para 60 pessoas? – verifica minha mãe.

– Talvez seja melhor fazer para 80 – responde a Sra. Da Silva. – É a família de Russell. Eles são uns esganados.

Minha mãe pega umas assadeiras para mostrar à Sra. Da Silva o tamanho exato que o bolo ficará, e eu saio com uma tigela para colher violetas.

Elas estão crescendo ao longo da cerca viva de dafne e aos montes.

Começo pelo fim, onde nosso jardim faz fronteira com o jardim de Estelle. Ao ouvir vozes, me aproximo um pouco, enfiando-me entre dois arbustos que ficam bem ao lado da cerca. Ficar ouvindo a conversa dos outros não é nada para quem se rebaixou a ponto de ler um diário. Ouço Estelle e Janie conversando. Janie está fumando um cigarro, e deve ser por isso que elas estão escondidas bem perto da cerca. (Fumar está na lista

"Coisas que me dão nojo" de Estelle.) Espero que a Sra. Da Silva resolva ficar mais um pouco na cozinha.

Ao ouvir o meu nome – bom, na verdade "menino do bolo" –, meus ouvidos se concentram tanto que me esqueço de respirar.

É Janie que diz:

– E o menino do bolo?

Estelle dá risada.

– Você está de brincadeira?

– Por quê? E por que não?

– Ele não é o cara certo – responde Estelle.

Certo pra quê?

– A gente teria de fazer esse menino jurar segredo – diz Janie.

– Tá, talvez ele dê certo...

Estelle diz que eu talvez dê certo. Urru! Mas para quê?

– Ele não é o tipo de gente de que se esperaria uma coisa dessas.

– O elemento-surpresa.

Estelle ainda está pensando no assunto, mas posso ver que ela está quase convencida.

– Você acha que a gente consegue convencer o cara?

– Talvez.

Talvez, nada. Estelle me convenceria a fazer qualquer coisa.

– Com certeza – responde Janie. – Ele está súper a fim de você.

– Cale a boca.

– Ele está sempre encarando você. Eu falei para ele que você o acha esquisito.

– Mas eu nunca disse isso.

Arrá!

– Disse, sim.

– Janie, eu não disse, não.

Ai, mas que felicidade!

– Bom, mas ele é.

– E por que você não pede para ele? Você trabalha com o cara.

Hum. Bem que ela podia ter insistido um pouco?

– Mas será que ele seria capaz de matar alguém? É isso que a gente precisa decidir.

Matar alguém? Quase caio para a frente. Nesse momento chocante eu nem penso nas complicações, e uma série de imagens irresistíveis invade o meu pensamento – a possibilidade de Estelle usar seus poderes de persuasão para tentar convencer-me, um passo assustador, porém sedutor, para a vida dos fora da lei. Será que eu seria capaz de resistir, ou me transformaria numa mera marionete complacente nas mãos dela? A segunda alternativa, com certeza.

Howard vem latindo com vontade pela porta dos fundos, e indo direto em minha direção, seguido pela Sra. Da Silva. Saio do meu esconderijo com a melhor cara de paisagem que consigo fazer.

– Tem bastante aqui, ó, Dan – ela diz, apontando para as violetas.

Para surpresa total dela, eu me afasto rapidinho da cerca antes de responder "Valeu". Espero que elas não tenham ouvido nada.

Fico pensando no que é que elas estavam falando enquanto trago as flores para dentro de casa, e consigo registrar minha mãe acabando de dizer que fomos convidados para tomar um drinque no vizinho hoje à noite.

– Mas você não tem de fazer o bolo?

– Tenho, mas isso aqui tem de ficar de molho por um tempo antes de eu poder começar – ela responde, apontando para as uvas-passas. – E eu preciso lavar e secar as flores antes de mexer com elas também.

– E eu tenho de ir?

– A não ser que você tenha um motivo muito bom, você vai, sim.

– Por quê?

– Porque é uma reação civilizada e educada de vizinhos para um convite civilizado de vizinhos.

Ao ver minha cara de morte, ela continua:

– Aquela menina está na sua sala, não é? Ou pelo menos no mesmo ano que você?

– É.

– Quando chegarmos lá, veja se arruma essa postura e tente não ser tão rabugento, se conseguir.

Estamos à soleira da porta do vizinho 15 minutos depois. Minha mãe passou batom. Estou tentando mostrar autoconfiança ao repetir na minha mente: "Ela não acha que sou esquisito, ela não acha que sou esquisito", mas um parêntese teima em se intrometer (mas acharia se descobrisse o que eu fiz...), seguido por outro (mas ela não tem de descobrir...).

A mãe de Estelle abre a porta para a gente, e, enquanto ela nos cumprimenta com toda a educação, aproveito para dar uma olhada na casa deles. Não poderia ser mais diferente da casa de Adelaide – é como se os órgãos internos da casa tivessem sido arrancados. A maioria das paredes foi derrubada, e tudo é pintado de branco. Enquanto a casa de Adelaide está morrendo engasgada com toda a tranqueira do mundo, aquela casa é quase vazia, a não ser por alguns móveis e quadros bem modernos. A casa é quente e tem um cheiro delicioso. A mãe de Estelle, Vivien, é magra, tem pele muito branca e lábios vermelhos, e está usando um vestido preto complicado, como se estivesse tentando disfarçar o fato de que ele foi feito para seres humanos. O corte de cabelo dela tem uma assimetria estranha. Ela é curadora. No meio de uma exposição. E frenética. Ela sente tanto por não ter entrado em contato antes. O nome do pai é Peter. Nunca vi o cara, nem ouvi falar dele. Ele desaparece logo depois de se apresentar, falando ao celular e lançando um olhar apologético em nossa direção.

Estelle chega ainda usando o uniforme da escola e uma expressão resignada, carregando uma tigela grande e rasa de batatinhas fritas.

Tem outro prato de comida que as mães estão beliscando, e logo as duas estão tagarelando sem parar sobre anchovas brancas e um restaurante obscuro que as duas visitaram em Roma.

Estelle me olha com uma cara concentrada – talvez pensando: será que ele é o nosso assassino? E estou esperando conseguir mais alguma informação sobre aquela conversa. Seria uma metáfora? Linguagem em código? Será que elas estão montando uma peça de teatro? Ou querem que eu acabe com um bando de ratos ou baratas?

Como sempre quando fico perto da menina inalcançável, não consigo falar nada que preste. No entanto, para minha surpresa, Estelle está interessada em conversar comigo.

Ela me pergunta sobre o trabalho, e se eu estou gostando da escola. Consigo balbuciar algumas respostas, e então me lembro do meu pai descendo a lenha em gente que não fala nunca, a não ser para responder a perguntas diretas. Faz parte do top 5 das coisas que mais irritam meu pai. Eu não quero ser assim, então dou um jeito de parar.

Conto para ela sobre a loja da instituição de caridade, sobre Howard e, sentindo aquela dor na consciência, perguntei que tipo de música ela curte, sabendo que a gente já tinha em comum TV on the Radio e Hot Chip. Então, depois de andar em cimento molhado com sapato de palhaço por alguns minutos, estou até curtindo essa visita. Na verdade, eu me sinto como se pudesse olhar naqueles olhos – azul-escuros, azuis de tempestade – e falar sobre qualquer coisa para sempre.

Mas tudo que é bom dura pouco. Minha mãe se levanta para a gente ir embora e então diz, sem aviso algum:

– Ah, vocês podem ir ao baile da escola juntos. Fica mais fácil assim.

O meu desejo mais secreto está ali sentado no chão, desprotegido e se contorcendo como uma tartaruguinha fora do casco.

Sinto uma onda de calor tomar conta do meu rosto e espalhar-se pelo meu corpo. Mas o que ela está pensando? De onde veio isso?

Estelle diz muito claramente:

– Eu provavelmente já vou com alguém.

O pai de Estelle entra na sala bem na hora, e estão todos olhando para a minha cara enquanto ela pega fogo. Ele dá um passo para o lado e pega o controle remoto do aquecedor.

– Está calor aqui, não? – diz, apontando para qualquer canto e apertando os botões.

Minha mãe diz:

– Eu só estava falando de vocês irem de carona juntos.

Vivien ajuda a piorar:

– Parece uma boa ideia.

Eu falo do nada:

– Acho que também já vou com alguém.

Boa estratégia: quando você está na lama, por que não afundar ainda mais?

Minha mãe pergunta:

– Quem?

– Você não conhece.

– Bom, talvez você possam ir todos juntos de carona – ela diz com uma paciência exagerada, como quem fala com uma criancinha.

Ela e Vivien trocam um sorriso tipo "adolescentes-não-conseguem-dizer-nada-direito", e vamos embora.

• • •

– Desculpe se fiz você passar vergonha lá – ela diz quando chegamos em casa.

– Eu agradeço muito se você não se meter na minha vida.

Pois é, porque estou levando a minha vida tão bem. Ou talvez não, em vista dos acontecimentos mais recentes:

1) A tentação do sótão.

Mesmo estando muito curioso com essa ideia de Estelle planejando um assassinato a sangue frio e preparada para me usar sem consideração alguma para atingir seu objetivo do mal, estou morrendo de vontade de saber do que é que ela e Janie estavam falando mesmo. Começo a pensar numa terceira visita ao sótão. E por que não? Já estou ferrado mesmo. Por que uma olhadinha a mais iria fazer diferença? Ah, ladeira escorregadia da moral – vejo você lá embaixo.

2) Preocupações financeiras.

Esse lance de economizar está acabando comigo. Como é que vou conseguir guardar dinheiro ganhando tão pouco? Três turnos no Phrenology, com uma porcaria de salário para um menino de 15 anos – a partir do meu aniversário na semana que vem –, mais dois turnos na loja da instituição de caridade, com salário zero. Mas não posso largar esse emprego, não pelo menos até esperar um tempo respeitável. (Três meses? Seis meses? E como é que vou saber?) Não tenho tempo suficiente, e dinheiro menos ainda. Já falei para Fred que a gente pode ir ao cinema neste fim de semana, mas já estou achando que é gastar dinheiro à toa. E não posso ficar dependendo do meu melhor amigo.

3) Maldade com a minha mãe – e ela não é malvada comigo.

Tenho de começar a ser mais legal com a minha mãe, e de alguma maneira descobrir minha compaixão por ela de novo; por enquanto, está rolando só na teoria. Se alguém me contasse a história dela, eu ficaria com pena, sem dúvida. Mas na prática não está funcionando. Por que é tão impossível tratar melhor a minha mãe?

4) A ligação para o meu pai.

Eu falei para minha mãe que ele acabaria desistindo, porém essa ideia me assusta. Essas ligações são como aquela linha da vida nos monitores de hospitais. Estou aguentando firme, ainda não estou pronto para deixar tudo para trás. Se ele desistir, eu me afogo. Vou parar lá no fundo da água escura entre os nossos icebergs.

5) A mancada de Howard.

Não estou falando que ele fez alguma coisa errada: ele está mancando mesmo. É meio que um subgrupo da categoria "preocupações financeiras". Ele precisa ir ao veterinário. Sei lá quanto isso custa, mas aposto que é o olho da cara.

6) Roupas novas.

Também poderia ser considerado um subgrupo da categoria "preocupações financeiras". Braços e pernas mais compridos que as roupas, dedos apertados no sapato. E eu é que tenho de dar um jeito nisso. Acabou a festa de ir à loja e pedir para colocar não sei o quê na conta dos meus pais. Provavelmente posso conseguir umas roupas para o dia a dia na loja da instituição de caridade, contudo não sei bem como funciona esse negócio de comprar alguma coisa onde se trabalha.

Problemas, responsabilidades, cara feia. Parece que já faz 1 milhão de anos que tudo com que eu tinha que me preocupar era jogar Nintendo, ou fazer a lição de casa a tempo.

Decido que ir falar com Oliver sobre tudo isso não é tão ruim assim.

Capítulo 18

Quando você vê alguém se barbeando, parece que uma barreira acabou de cair. Agora ficou mais fácil conversar com Oliver.

Na verdade, eu preciso mesmo falar com ele sobre roupas e dinheiro, então me surpreendo ao puxar a conversa com um:

– O que você acha de Estelle, que mora aqui ao lado?

Ele me mede de cima a baixo.

– Areia demais para o seu caminhãozinho, cara, a não ser que você dê um jeito na aparência – ele responde.

– Mas você mesmo disse que só a aparência não transforma ninguém numa pessoa legal.

– Claro que não é a única coisa, no entanto, é uma das coisas. É um desses paradoxos estranhos que a vida inventa; uma coisa que não torna você legal, mas pode transformar você no oposto.

E só agora ele avisa.

– Tirar aquela barba de pedinte foi uma ótima ideia. Mas agora você precisa de roupas que lhe façam um favor, que deixem você diferente. E cabelo – ele faz que não com a cabeça e seus próprios fios perfeitos –, sou obrigado a ser cruel: você precisa repensar esse estilo totalmente.

Meu cabelo? Mas eu nunca pensei no meu cabelo, e muito menos repensei. E é bem capaz que essa seja a raiz do problema (trocadilhos à parte). Faz meses que cortei o cabelo pela última vez, e agora ele está todo bagunçado. Porém eu lavo o cabelo. Mais ou menos. Quando lembro.

– A gente precisa da Em.

– Cabeleireira?

– Namorada. Ela é DJ, mas sabe cortar cabelo também.

– Quando ela volta?

– Logo, espero. Você ainda está trabalhando na loja da instituição de caridade?

– Ahã.

– Aquelas sacolas ali, ó. São coisas que não uso mais, sabe? Que tal você dar uma olhada, pegar o que quiser e levar o resto à loja para mim?

– Valeu.

– Imagina. Você está me fazendo um favor.

Oliver acha que eu posso arranjar um uniforme novo no setor de Achados e Perdidos. Eu deixo meu uniforme antigo lá e pego qualquer coisa que alguém tenha sido sem noção o bastante para perder. Um dia a gente perde, no outro ganha etc.

• • •

Saio para encontrar Fred, e estou usando umas roupas antigas de Oliver – jeans com bolsos diagonais, um suéter cor de berinjela e uma jaqueta cinza enorme que Oliver me contou que é feita de lã fervida, e é de um estilista japonês. Acho a jaqueta meio esquisita, mas chego à conclusão de que o guru das tendências sabe mais que o guru dos losers sobre o que vestir.

Fred dá uma volta completa ao meu redor.

– Você parece mais velho, mais alto e mais legal. Como é que pode, em questão de semanas?

– Estou correndo todo dia com Howard, e puxando ferro.

– Dá para ver o resultado. Mas você vai perder aquele charme de geek se não tomar cuidado.

Dou um soco no braço dele.

– Olha, pode ser que eu tenha achado uma menina para você – conto para ele. – Ela está na minha sala, e talvez vá começar a procurar alguém para convidar para o baile.

– O que tem de errado com ela?

– Essa é uma pergunta de autoestima baixa, meu amigo – respondo.

– Ela tem espinhas? É por isso que ela iria comigo?

– Algumas. Mas ela é bonita, inteligente e gente boa. E tem senso de humor. Nem sei se ela iria com você, mas estou a fim de sugerir... se estiver tudo bem para você.

Ele ainda não está convencido – e está escolhendo demais para um cara que não conhece muitas meninas.

– Vou pensar. Você vai chamar a inalcançável?

Suspiro profundamente.

– Acho que não tenho coragem mesmo, mas, pelo jeito, nunca irei descobrir porque tenho certeza de que ela vai convidar outra pessoa.

Estamos na fila do cinema. Fred pega a carteira.

– A Plano B falou para eu pagar o seu ingresso, por causa da crise. E ela disse para você nem tentar discutir. Ainda está rolando?

– Pior que nunca. Ela ainda está convencendo os clientes a não casarem mais, mas não quero que você pague o meu ingresso.

– Que parte de "nem tentar discutir" você não entendeu?

– Eu me sinto mal.

– Você faria a mesma coisa por mim?

– Lógico.

– Então cala a boca. Os seus problemas também são meus problemas.

– Estou ganhando alguma grana, mas fico pensando que deveria economizar para uma emergência.

– É, deveria mesmo. Não estou dando uma de bonzinho, Dan. E esse dinheiro nem é meu. E quem tem mais deve pagar mais, é o justo. Pense nisso em termos políticos.

– Tá, mas só se eu puder tomar nota, e então pagar você quando a crise acabar. Ou comprar o mesmo número de ingressos para você, ou alguma coisa assim.

– Não precisa. Mas, se você precisa disso para aceitar, então, beleza.

O filme não é lá essas coisas, depois disso tudo. Eu viajo e começo a pensar sobre o trabalho hoje cedo. Eu trabalhei no primeiro turno, e Janie também. Porém ela não foi nem um pouco mais simpática comigo que o normal. Eu até achava que ela fosse querer me agradar antes de pedir esse favor importante, seja lá o que for. A não ser que ela estivesse pensando que estava sendo gente boa quando me disse no meu intervalo: "Vê se esquece a Estelle. Todo mundo a adora, e você não chega nem aos pés dela".

Depois do filme, Fred e eu vamos embora – cada um para o seu canto. Ele tem de fazer lição de casa. A gente nunca tem lição de casa para fazer. Mas tenho "lição de mãe". Chego à conclusão de que, se não consigo ser legal com ela de verdade, pelo menos posso arranjar alguém que é capaz de ser.

Ela está de bom humor quando chego em casa. Radiohead está tocando no último volume, e tem dinheiro sobre a mesa da cozinha. A Sra. Da Silva veio pegar o bolo.

– Uma cliente que pagou. Uma cliente que pagou e está satisfeita. A gente deveria comemorar. Que tal buscar alguma coisa para o jantar? – ela pergunta.

– Mas o dinheiro dá?

– Na verdade, não, mas olha só: a gente pode morrer amanhã. Então vamos aproveitar.

– Tá.

Meu plano é ligar para Rachel, amiga da minha mãe. Vou pedir a ela para vir aqui e convidar outra amiga delas, Alice, como uma surpresa para minha mãe. Eu meio que sugiro que seria uma boa ideia trazer comida. Sou mesmo uma sanguessuga sem vergonha.

– Não sei, Dan – ela diz. – Já tentei ver como ela estava mais de uma vez, mas ainda estou recebendo a mesma mensagem, e bem clara: me deixe em paz. Acho que ela precisa ficar sozinha por um tempo.

– Ela pode dizer isso, mas não é disso que ela precisa. Agora ela está com um lance bem esquisito com Thom Yorke.

Rola uma pausa.

– Foi a mesma coisa com Bono, um ano depois de a gente se formar – conta Rachel. – O seu pai organizou uma intervenção para confiscar e destruir *The Joshua Tree*. Até hoje não consigo ouvir aquele disco.

– Ela passa tempo demais sozinha. A empresa não está indo nada bem. Ela nunca sai para lugar algum, e provavelmente precisa de mais alguém para conversar, além de mim.

Que alívio finalmente falar sobre isso tudo.

– Tá, querido, vou ligar para Alice. Vamos chegar mais cedo, e com comida. Não vou ligar para ela não ter chance de dizer para a gente não ir.

Rachel é minha madrinha e a amiga mais antiga da minha mãe. Elas dividiam uma casa com o meu pai e Alice quando estavam na universidade. Alice é uma jornalista superinteligente. Rachel é uma defensora pública que, minha mãe diz, não tem "ilusão" nenhuma sobre alguns clientes. Isso quer dizer que muitos são uns vigaristas, mas precisam tanto de representação quanto os inocentes.

Ver as amigas parece animar a minha mãe, apesar de ela chorar e abraçar as duas quando elas chegam trazendo comida e vinho e dizer:

– Estou um caco.

E Alice responde:

– Combina com você.

Vamos comer na sala de jantar mais formal da casa. Comida libanesa: que delícia! Cada uma delas toma algumas taças de vinho, e começam a tagarelar na maior altura. Eu saio de perto. Ou pelo menos finjo que as deixo sozinhas. Fico do lado de fora, ouvindo. Como é que eu vou conseguir descobrir alguma coisa se não fizer isso?

– O problema é que a gente continuou negociando mesmo depois que Rob ficou sabendo que as coisas iam mal. Não que eu soubesse na época também. Acho que ele estava esperando um milagre de última hora.

– É uma pena, depois de tanto trabalho – diz Alice.

– Mas você podia ter contado para a gente antes sobre o escândalo gay, querida – diz Rachel.

– Vocês foram as primeiras a ouvir. Depois de mim – responde minha mãe.

– Lembra que a gente achava que ele era gay quando o conhecemos? – pergunta Alice. – Lindo demais para ser hétero, a gente pensou.

– E tínhamos razão – responde minha mãe, e elas caem na risada como um bando de loucas.

– Porém a gente tem de ser justa, até que ele durou bastante – diz Rachel. – Teve filho e tudo.

– Estou arrasada, é claro – continua minha mãe. – Mas um dia eu chego lá. Tenho certeza de que um dia vou conseguir ficar feliz por ele. Principalmente depois de rolar um sexo pós-fim-de-casamento. – Elas caem na risada de novo. Eu não deveria estar ouvindo isso.

– E ele não poderia ter saído do armário naquela época, mesmo se soubesse – diz Alice. – Lembra da família dele? Os pais dele eram terríveis.

– Meus sogros horríveis. Que descansem em paz. Não, de jeito nenhum, era capaz de aqueles dois mandarem executar o filho. Ele demorou tanto!

– Mas ele não falava que era bissexual naquela época?

– Provavelmente foi o mais perto que ele conseguiu chegar de dizer "sou gay". Se ele não soubesse disfarçar tão bem, eu teria percebido – conta minha mãe.

– Mas a gente era muito criança. Nós não sabíamos de nada – responde Rachel.

– Não, ela tem razão – rebate Alice. – Ele era o seu melhor amigo, você dormiu com ele, ficou grávida e forçou o cara a viver uma mentira! – Mais risadas.

– Mas nesses anos todos, vocês ainda...?

– Não tanto.

ARRRRGH! Informação demais.

Eu me inclino para trás e olho para o teto do corredor. Partido e marcado para sempre. O teto, não eu. Pelo jeito, meu pai tentou ser o mais sincero possível naquela época. Meus avós não deviam ser muito legais. Se os seus próprios pais não deixam você ser quem você é, então quem é que vai fazer isso?

– Dan tem sido incrível. – Ouço, sem conseguir acreditar. – Arrumou emprego, acostumou-se à escola. Está enfrentando o desafio de verdade. E quase nem reclama.

Eu me queimo de vergonha ao ouvir isso. É o que eu chamaria de "interpretação generosa". Ouvir minha mãe dizer como eu tenho sido bom me faz sentir a pior das criaturas. Ela não menciona a guerra fria, ou meu comportamentozinho ridículo quando ela espantou os clientes. Isso é lealdade? Será que ela não nota mesmo essas coisas? Ou ela suspeita que estou ouvindo atrás da porta?

– Rob deve estar com saudade dele.

– Demais. Mas Dan ainda não quer falar com ele.

– Bom, ele largou o moleque – Alice diz.

– Ele ficaria feliz se Dan fosse morar com ele, mas a gente achou melhor ele ficar comigo. Pelo menos, eu sei que ele conseguirá se acostumar com essa vida nova aqui. Obrigada, Adelaide! Não sei o que teria feito sem esta casa.

– A gente a teria acolhido – diz Rachel.

– Não me inclui nisso, não – Alice brinca.

– Se Dan aceitasse ver o pai, Rob estaria aqui num segundo. Mas também não quero vê-lo, por enquanto.

– Mas ele é um cachorro mesmo! – Alice comenta.

– Cachorro! – concorda Rachel.

Eu bem que queria saber mais sobre como ele ferrou com o negócio da família e deixou a gente falido, mas pena que não consigo passar uma pergunta por baixo da porta.

– E por que é que ele não foi embora uns dez anos antes, quando eu ainda era bonita? – pergunta minha mãe. – Que esperança eu tenho agora? – E elas riem de novo.

Deve ser o vinho.

Eu volto como quem não quer nada para comer baklava, e então sumo de novo quando elas começam a me perguntar sobre meninas.

Quando saio de perto, Alice faz um brinde ao Rob e, em homenagem às listas "intermináveis" dele, elas fazem um top 10 dos "maiores cachorros de quem conseguimos escapar", e há uma nova explosão de risos.

E estou achando que ele é menos cachorro do que eu pensava.

Capítulo 19

Minha mãe está de bom humor e parece relaxada pela primeira vez há um tempão. Ela me agradece por ter convidado Rachel e Alice para virem aqui em casa.

É segunda-feira, e meu aniversário de 15 anos.

E daí?

A gente come panqueca no café da manhã, com bastante açúcar e suco de limão – ou seja, do melhor jeito. Meu presente é um crocodilozinho de pelúcia com olhos verdes de vidro – um pouco mórbido, mas eu adoro. E Rachel deixou um presente para mim quando veio jantar aqui em casa; a mesma coisa todo ano: livros. Este ano ganhei *Ardil 22*, de Joseph Heller, um livro de autoajuda para meninos sem pai, e *Os Eleitos*, de Tom Wolfe.

Meu pai liga enquanto estamos tomando café.

– É ele – minha mãe diz, enquanto me passa o aparelho com uma cara de "atende!". – É o Rob. – Ela tapa o bocal do telefone.

– Não estou – respondo.

– Fala só um "oi" – ela fala. Então, só porque acho que isso vai fazê-la sentir-se melhor, eu pego o telefone.

A voz dele está cheia de emoção, e ouvir meu pai sorrindo me deixa com vontade de chorar – vai entender –, e eu preferiria cortar minha cabeça fora a chorar. Com um nó do tamanho de uma maçã na minha garganta, converso o mínimo possível. Ele diz:

– Feliz aniversário, Dan.

Respondo:

– Valeu.

Ele pergunta:

– Tudo bem?

Respondo:

– Tudo.

Ele me lembra do presente que deixou para mim.

– Tá. Tchau – digo, e desligo.

É difícil acreditar quando minha mãe diz que não vai ser sempre tão difícil assim. Sinceramente, não vejo como isso pode mudar um dia.

• • •

Nem na escola consigo parar de pensar no meu pai. Pittney está atrasado para a aula, e tem um lance selvagem acontecendo. Um dos caras mais metidos a durão não está tomando o remédio que deveria e está perambulando pela sala e desenhando nos livros dos outros. Mel, uma das meninas dos parênteses intercambiáveis, diz que ele pode desenhar nela, e oferece a parte interna da coxa, onde ele escreve seu número de telefone. Jayzo está pedindo dinheiro emprestado para um de seus amigos. Estelle, Unyen e Janie estão conversando. Eu me sento perto delas, e elas começam a falar comigo, o que chama a atenção de Jayzo e Deeks.

– Por que vocês estão falando com o menino do bolo? – pergunta Jayzo.

– E por que você se importa? – retruca Estelle.

– Eu não estou nem aí – ele diz.

E ele tenta provar o que diz ficando ali por perto, enchendo o nosso saco. Fica difícil nos concentrarmos na conversa. Tentamos ignorar o mala, mas ele não gosta disso. Ele precisa de atenção como uma criança de dois anos. Ele pega o celular de Janie. É a coisa favorita dela: ela está sempre fazendo vídeos com ele. E eu sei que ela não tem grana para esbanjar, então, se o celular quebrar, já era. Ela tenta pegar o telefone de volta, mas ele o joga para Deeks. Não tem por que tentar pegar o celular: eles só vão continuar jogando essa coisa pra lá e pra cá.

– Devolve – me ouço dizer.

– O que foi? – pergunta Jayzo.

– O menino do bolo está ficando nervosinho – Deeks provoca.

– Quero ver você me fazer devolver – Jayzo desafia.

Tem coisa mais patética e que, para a minha frustração, funciona tão bem quanto aquilo que alguém maior e mais forte que eu tem a dizer?

Ninguém esperava que eu fizesse nada. Ninguém é imbecil o bastante para enfrentar Jayzo. Deeks está ali, segurando o telefone longe do alcance de Janie e sorrindo como um chimpanzé. Sinto o sangue ferver e sou invadido por uma onda de ódio de todo o bullying desse Jayzo. O "elemento-surpresa" está do meu lado nessa história, e eu o coloco para funcionar. Pego o pulso de Deeks com força, arranco o celular da mão dele e dou o telefone para Janie. Deeks está todo nervoso e fazendo cara feia, como se eu o tivesse machucado de verdade. Que bom. Espero que doa de verdade mesmo.

– Sua bicha – Deeks xinga.

Com uma onda de alívio, percebo que, apesar de não conseguir falar com ele, estou do lado do meu pai. Fico bravo por ele. Quero defendê-lo. Odeio esses idiotas que usam "bicha" e "gay" como insulto. E eles fazem isso o tempo todo.

– Pode parar de xingar as pessoas assim. Não tem nada de errado em ser gay. E não xingue ninguém de "menina" também. Metade das pessoas dessa sala é menina.

Jayzo fica de queixo caído e responde:

– Bom, mas é isso mesmo que eu esperava de uma... menina... gay.

Por um momento glorioso, ele parece meio murcho. Que sensação boa essa de não me deixar intimidar por alguém que detesto.

– Mandou bem – Lou diz.

– Ahã, valeu – Janie agradece, meio de má vontade.

Paro de "ficar na minha" na sala e me exponho como o nerd que sou como se não houvesse amanhã. Pode esquecer o lance de "ficar pianinho". Respondo tudo que me perguntam. Como Lou mesmo disse, pode ser que não haja um amanhã se Jayzo me pegar sozinho no caminho de casa.

– Não estou nem aí – respondo. – Pelo menos eu sei que sou intelectualmente superior.

Ela cai na risada.

– Você acha que ele consegue chegar a conclusões. Mas ele mal consegue se lembrar de respirar.

Na hora do almoço, Jayzo fica rodeando Estelle, Janie e Uyen. Aquilo me deixa nervoso.

– Provavelmente ele está se desculpando por ser um monstro machista e homofóbico – digo.

– Acho que ele está é jogando um verde para convidar Estelle para o baile – Lou responde.

Dou risada só de ouvir essa ideia ridícula.

– Eles estavam saindo no ano passado – ela conta. – Relacionamento de oitavo ano, então acho que durou uns cinco minutos; mas mesmo assim.

Como isso pode ser verdade? A imagem da perfeição saindo com esse elo perdido?

Lou percebe meu olhar de quem mal pode acreditar.

– Ele é bem gato, sabia? – diz ela. – E até melhorou por um tempo, quando colocaram a matrícula dele num contrato de bom comportamento. Mas é claro que já desistiram dele, né?

Eu me lembro de Fred.

– Eu tenho um amigo que você pode convidar para o baile, se já não estiver para ir com alguém – comento.

Fica difícil decifrar o olhar dela. Com certeza não é "empolgado", nem "feliz".

– O que tem de errado com ele? – pergunta ela. – Ele tem espinhas? É isso? Não tem namorada? Ninguém mais quer esse cara?

Lou e Fred são tão perfeitos um para o outro que me dá vontade de dançar.

– Dou uma resposta quando estiver mais perto do dia do baile – responde ela. – Se eu tiver uma noção melhor de (a) se vou mesmo ao baile e (b) se estou tão desesperada assim.

– Acho que não tem chance de ela falar "sim". Ou tem? – Lou segue meu olho comprido para cima de Estelle.

– Não sei, Dan – ela diz, suspirando de leve.

Estelle vai andando comigo até o Phrenology. A gente não conversa. Ela está ouvindo Kings of Leon no fone num ouvido só. Pelo jeito, ela deve estar tentando me proteger de Jayzo enquanto ele se acalma um pouco, talvez pensando que é menos provável ele me espancar com ela por perto. Espero que ela tenha razão.

– Prefiro mil vezes as músicas mais antigas deles – digo.

– Eu também – responde.

Quando ela está prestes a ir embora, colocando o outro fone no ouvido, ela sorri e diz:

– Obrigada por hoje.

Capítulo 20

Então a questão é por que, justo quando faço pelo menos um avanço com Estelle, eu decido arriscar uma terceira visita ao sótão?

Por dois motivos. Preciso descobrir do que elas estavam falando no jardim. Esse negócio está me comendo por dentro. E, não sei por quê, acabei trazendo um brinco na manga do meu suéter na última vez que estive lá, e preciso levar de volta.

É por isso que estou sentado aqui, entre as cortinas pesadas e transparentes da janela da sala de estar e olhando para a rua. Os minutos se arrastam; eu jamais teria paciência para trabalhar como detetive particular. Estou esperando por uma coisa que sei que acontece a essa hora do dia, e estou certo. Estelle está saindo pela porta da frente, virando à direta e subindo o morro puxando o *case* de seu violoncelo. Eu tenho pelo menos uma hora.

Os livros ainda estão sobre a portinhola do alçapão quando subo para aquele outro mundo. Só agora me dei conta de uma coisa: depois de ver a decoração moderna de Estelle, chego à conclusão de que ela deve ter construído seu ninho com coisas do sótão de Adelaide. Bem-vindo ao meu mundo do crime.

Ligo a lanterna e abro a tampa de um baú de madeira. Está cheio de roupas dobradas. Enquanto fuço entre elas, um cheiro de especiarias chega ao meu nariz. Tiro uma pilha de camisas de homem compridas e sem gola, sem botões, plissadas na frente, e uns vestidos de mulher feitos de um tecido bem fino e cheio de contas bordadas. Eles estão todos embrulhados em papel de seda.

Mas quem embrulhou aquilo tudo? Quando é que eles esperavam usar essas roupas de novo?

Mais um baú cheio de tecidos que parecem seda – e já fuçaram por aqui, com certeza. Esses são os panos que Estelle usou para decorar as paredes. Ao lado do baú fica uma mala enorme de couro, que agora é o lar de cobertores de lã normal e lã angorá. Quem quer que tenha guardado essas coisas fez questão de colocar lavanda entre cada camada, e deve ter sido há tanto tempo que a lavanda se desintegra entre os meus dedos. Todas essas coisas pertenciam a vidas que não são mais vividas. Não é legal pensar muito nisso.

Abro mais um baú, esse coberto com couro preto rachado, com umas fivelas de bronze meio sem graça e cheio de adesivos de destinos de viagem. Tem um bicho morto enorme lá dentro. Dou um pulo para trás, com um grito – que está mais para um barulho embaraçoso, agora que estou me lembrando –, ao ver que, é claro, são casacos de pele, e não um cadáver. O fedor que emana deles é de naftalina, e não de carne em decomposição.

Empurrando as caixas para o lado pela terceira vez, sinto de novo uma dor imensa na consciência – e, pela terceira vez, empurro-a para o lado também. Como já sou um espião experiente, antes de tudo, coloco o brinco de volta debaixo da mesa, e então vou direto para o volume mais recente do diário. Tem uma anotação sobre um filme que Janie está fazendo. Deve ser para isso que elas precisam de um assassino. É claro que não passei no teste. Continuei lendo. Más notícias. Estelle está gostando de alguém na escola. Ela chama o moleque de menino do CD. Esse menino do CD é muito sortudo:

Ele é uma graça porque não sabe como é gatinho. O cabelo dele é comprido e meio bagunçado, e quando ele está concentrado, a franja dele cai sobre o olho e ele a joga para trás, sem paciência. Parece que ele está em outro lugar totalmente diferente.

Deve ser o cara que ela convidou para o baile. Fico pensando no pessoal da nossa sala, hummm, e a descrição pode se aplicar a um ou dois idiotas que não merecem Estelle. Deve ser alguém do décimo ano. Fico com enjoo só de pensar.

O castigo mais superficial para um curioso é descobrir algo que ele não quer saber. O verdadeiro castigo é ter de conviver com essa culpa. Estou levando os dois na cabeça.

Fecho o caderno e olho à minha volta. Uau! Como é que eu nunca tinha notado aquilo antes?

Estelle colocou um monte de fotos na parede, onde antes ficava um dos tecidos. São vinte fotos: cinco fileiras de quatro. Fotos do céu tiradas da mesma janela, que acaba servindo de moldura para as imagens. Cada uma delas é linda por si só, mas a imagem que elas formam juntas é demais. E me faz pensar como as coisas podem ser as mesmas, porém tão diferentes ao mesmo tempo. É como a minha vida – meu pai ainda é meu pai, mas agora ele é gay e foi embora. Minha mãe ainda é a mesma, mas só está 90% menos feliz do que era. Eu sou a mesma pessoa, mas mal posso me lembrar da pessoa que eu era. Principalmente o meu coração, que agora tem partes que eu nem sabia que existiam antes.

Dou uns passos para trás para ver o impacto da imagem como um todo – e viajo tanto nas fotos do céu que nem percebo que o alçapão está se mexendo. E me viro bem rápido quando ouço o suspiro de surpresa de Estelle.

Com o choque ao me ver, ela meio que balança para o lado. Antes que ela caia, dou um passo até ela, a endireito pelos ombros e estendo minha mão para ela. Ficamos ali de pé, face a face.

Será que ela está afetada por essa distância quase inexistente entre a gente tanto quanto eu? Ela está molhada; gotículas se prendem às pontas do seu cabelo. E agora a chuva que cai com tudo sobre as telhas acima de nós dois é só um eco muito distante do barulhão do sangue pulsando nas minhas veias. Ela tem cheiro de flores e suéter molhados. Não tenho a menor ideia do que fazer em seguida, mas ela tem. Estelle puxa suas mãos de volta, e seus olhos brilham.

– O que você está fazendo aqui? – consigo dizer finalmente.

– O que estou fazendo aqui? Eu? No meu sótão?

– Você não tinha aula de violoncelo?

Putz, ferrou.

– Minha aula foi cancelada. Mas como você sabe que eu tenho essas aulas? Você está me espionando? Você fica me seguindo, por acaso?

– Não! – Bem, tecnicamente, não. – Eu só notei que você sempre sai de casa com o seu violoncelo a essa hora. E isso é crime?

– Essa é a primeira vez que você entra aqui? – Os olhos dela vão direto para os diários, que parecem totalmente intocados.

– Sim! Ouvi um barulho lá de baixo.

Mentiras e mais mentiras.

– Que barulho?

– Barulho de alguma coisa caindo. Eu só queria saber o que era.

Acho que ela está acreditando nessa história.

– É melhor você não ter encostado em nenhuma das minhas coisas!

– Não. Cla-claro que não – respondo, num tom de indignação que sai sei lá de onde. – Não encostei em nada. – Nesse momento, uma confissão só levaria à violência. – Achei a entrada sem querer. Ali é o meu sótão – digo, apontando para o buraco na parede que divide as duas casas.

– Exatamente. O seu sótão. – Ela aponta. – O meu sótão. – Aponta de novo.

– Eu até convidaria você para visitar o meu sótão sempre que quiser, mas acho que você já esteve lá – digo.

Ela faz cara de culpada, lembrando-se de todas as coisas que levou do sótão de Adelaide.

– Eu achei que ninguém mais fosse usar aquelas coisas. Pegue tudo de volta, se quiser.

– É melhor alguém usar aquelas coisas mesmo – digo, virando-me para ir embora.

– Você não pode contar a ninguém sobre este lugar. Meus pais não sabem que eu venho aqui em cima. Ninguém sabe.

– Eles devem saber que vocês têm um sótão.

– Eles não são do tipo de gente que junta tranqueira. Eles nem lembram que este lugar existe. Prometa para mim que não contará nada.

– Não vou contar.

– Prometa.

– Eu prometo.

– Não sei se isso quer dizer alguma coisa para você, mas eu estava começando a pensar em você como alguém em quem eu posso confiar, alguém ponta firme.

– Pode confiar em mim.

– Não depois disso. Agora estou me sentindo invadida. Bom, acho que vamos ter de começar tudo de novo.

• • •

– Eu tinha de descobrir. Aquilo estava me comendo por dentro desde que ouvi aquela conversa – digo a Howard. – Você não entende? Elas estavam falando de mim. Eu tinha o direito de saber sobre o que era aquela conversa.

Ele não parece nem um pouco convencido.

Nem eu.

– Começar tudo de novo! Pisei feio na bola. O que vou fazer agora?

Howard suspira e se ajeita em seu canto novamente, olhando para mim. É aquele olhar de psicoterapeuta de novo: você é que tem de descobrir.

– Vamos dar uma corrida. Quem sabe você para de mancar com um pouco de exercício.

Ele se levanta bem devagar, esticando uma perna e depois a outra, tremendo e estalando os ossos.

• • •

Na próxima vez que Janie e eu fazemos um intervalo no trabalho juntos, ela pergunta na lata:

– O que você aprontou para deixar Stell tão brava?

– O que ela falou para você?

– Que você não era tão legal quanto parecia. E que ainda bem que a gente não chamou você para participar do filme.

– Que filme?

É isso mesmo: debaixo de toda a mentira e falsidade tem mais mentira e falsidade.

– O meu filme. A gente achou que você poderia ser o cara que mata o personagem principal, mas então desistimos de usar humanos…

Que interessante. Estelle não contou nada para Janie sobre o sótão. Isso quer dizer que, apesar do que ela me falou, deve confiar em mim o bastante para guardar seu segredo. É uma migalha, porém é tudo que eu tenho.

Anne chega com bolos de semolina para a gente, aqueles que vêm com uma amêndoa bem no meio. Ela diz para a gente comer logo e voltar lá para dentro, porque o café está cheio de novo.

• • •

Nas semanas seguintes, minha presença naquela escola se resume a três atividades: tentar ficar sozinho com Estelle para me desculpar direito; tentar evitar ficar sozinho com Jayzo; e dar um jeito de Lou aceitar se encontrar com Fred.

Em casa, fico de olho na minha mãe, evito as ligações do meu pai, pego e logo deixo de lado de novo o presente que ele me deu (no máximo umas três ou quatro vezes por dia), saio para correr toda noite e puxo ferro – está ficando cada vez mais fácil. Os músculos estão começando a aparecer, e, ao ver que está funcionando, eu me sinto melhor do que deveria. Oi, bíceps.

Finalmente o tempo está esquentando. A primavera chegará em algumas semanas, e às vezes as manhãs não são tão congelantes. Arrumei o antigo quarto da empregada como quarto de TV, com um aquecedor. Então, com essa sala e a cozinha, e sem contar os banhos quentes ou ir dormir com uma bolsa de água quente, a casa está fisicamente mais suportável de se viver do que eu pensava quando a gente se mudou para cá.

No final das contas, é Pittney quem me deixa sozinho com Estelle. Nós pegamos a última cópia do livro de matemática ao mesmo tempo. Pego o livro primeiro, então seguro com força. Ela arregala os olhos para mim e segura com força também. Ela puxa o livro com tudo. Não é justo, então puxo de volta com tudo também. No momento exato, ela larga o livro e eu saio voando, e aterrisso no colo de Jayzo. Ele me dá um empurrão gigante que me manda na direção de Estelle, que cai no chão e diz com todo o sarcasmo do mundo quando eu a ajudo a se levantar:

– Valeu, Dan.

Com sua própria (e bizarra) lógica, Pittney diz:

– Chega. Não aguento mais vocês três. Quero ver vocês depois da aula.

E foi assim que nós três nos transformamos no comitê de organização do Baile de Primavera do nono ano.

Mas ninguém quer o emprego.

Jayzo passa a primeira reunião tentando convencer Estelle a ir com ele ao baile. Ele é burro demais para perceber que não vai rolar. Em certo ponto, não aguento mais.

– Ela já falou não. Deixa a menina em paz e convida outra pessoa.

Em vez de agradecer, Estelle me ataca.

– Quem foi que pediu para você falar por mim?

– É, deixa a menina em paz – diz Jayzo, com aquela alegria dos imbecis.

Não aguento mais esses dois.

– Pittney falou que a gente precisa botar alguma coisa no papel antes de ir embora. E eu preciso ir trabalhar. Qual é o tema do baile? Alguém tem alguma ideia brilhante? – pergunto.

Estelle folheia um livro que Pittney deixou para a gente, e lê em voz alta algumas das sugestões ridículas: Passado e Presente, Circo, Felizes para Sempre, Quesito: Esquisito...

Jayzo gosta de "Cubo Mágico" porque acha que, por alguma razão, vai ter gente tirando a roupa.

A gente acaba escolhendo a ideia mais óbvia: Black Tie. Então vamos ter um baile de gala, o que parece bem imbecil. Perfeito. Porque será imbecil mesmo. Escrevo isso num pedaço de papel e vamos embora.

Na saída, Jayzo vem bloquear o meu caminho.

– Menino do bolo, que tal uns globos oculares esmagados espalhadinhos sobre uns machucados cheios de vermes? – E então ele faz uma imitação excelente de alguém prestes a vomitar. Ele me pega desprevenido, e dá certo. A tontura tão familiar toma conta de mim de novo. Fico com frio, e então morrendo de calor. Antes de eu apagar, Estelle me joga numa cadeira e empurra minha cabeça para baixo.

– Deixa esse covarde em paz, seu bandido – ela diz.

Ele vai embora com um sorrisinho nos lábios.

– Quem foi que pediu para você falar por mim? – Não resisto.

– Se eu não tivesse falado nada, você teria desmaiado de novo. E então eu teria de perder mais tempo ainda procurando um professor.

Ela tem razão.

Janie e Uyen estão esperando Estelle lá fora. Mais uma vez eu me relego ao outro lado da rua enquanto elas andam em direção às lojas, falando pra caramba e às vezes olhando para mim. Será que elas só estão esperando eu ir embora? Será que elas estão preocupadas que eu vá ouvir alguma coisa? Entro na loja da instituição de caridade, e vejo Estelle indo para o lugar do Projeto de Artes.

A Sra. Nelson não parece muito animada em me ver – grande novidade. Tento não ligar muito para isso. Nunca mais quebrei nada, desde o primeiro dia de trabalho. Ela me pede para arrumar as revistas. É a mesma coisa que fiz da última vez, e da outra também. Não é que as revistas não estejam uma bagunça, porque estão, mas será que eles precisam mesmo de mim aqui? O canto dos livros e revistas é como uma biblioteca para alguns de nossos clientes. A gente vende móveis, roupas e tranqueiras para casa, e muitas vezes as pessoas sentam-se num sofá, cadeira de cozinha ou banquinho e passam uma hora lendo alguma coisa. Às vezes, a Sra. Nelson faz chá para todo mundo, e eles ficam falando de notícias sobre gente famosa. As revistas são velhas e amassadas, e, apesar de a falta de ordem cronológica gerar algumas discussões confusas, não acaba com a diversão de ninguém; só faz com que o mundo das celebridades pareça ainda mais maluco.

Já passou da hora de eu dar um jeito nisso.

– A senhora precisa de mim aqui, Sra. Nelson?

– Nós apreciamos a sua contribuição, Dan. Quanto a isso não há dúvidas.

– Mas a senhora precisa mesmo de mim?

– Quero que você saiba que sempre vamos precisar de você aqui. Você é confiável e generoso com o seu tempo, e valorizamos muito a sua presença aqui.

Experimento outra tática.

– Se eu conseguir mais turnos num emprego que me paga, tudo bem se eu não trabalhar mais aqui?

Ela sorri, finalmente entendendo o que eu quero dizer.

– Imagine! Não tem problema nenhum. Tenho tantos voluntários aqui que nem consigo mandar em todo mundo.

De repente, ela falou até demais.

Atravesso a rua e vou direto para o Phrenology. Ali diz que pode me dar um turno depois da aula, mas está meio de mau humor, então vou para a cozinha para sair do caminho dele.

Anne está lá, e de cara feia. Ela corta com tudo um pedaço de bolo de sementes de papoula ainda quente, e me passa a fatia. Um caldeirão de sopa que tem cheiro de tomate e cominho borbulha no fogão. Ela faz um gesto com a cabeça na direção do caldeirão.

– Você pode mexer a sopa, Dan? Mas tome cuidado para as lentilhas não grudarem na panela.

Pego uma colher de pau e começo a mexer.

– O que está rolando?

– Acabei de lembrar Ali de que vou sair de férias com Irena. Já falei para ele 1 milhão de vezes, mas ele nunca acreditou.

– Para onde vocês vão?

– Vamos fazer um gourmet tour pelo sudeste da Ásia com Tony Tan. E depois um passeio pelos castelos da região do Loire, e depois Florença, para ficar com a irmã de Irena.

– Quando?

– Na semana que vem.

– Quanto tempo você vai ficar fora?

– Oito semanas. Eu falei para ele alguns meses atrás. Mas ele se planejou para isso? Não!

Saio pela porta dos fundos. Não vale a pena ficar ali na linha de fogo.

• • •

A Sra. Da Silva tem um saco de ossos para Howard quando dou uma passada lá, a caminho de casa. Conto para ela as novidades do Phrenology.

– O que você vai fazer com esse dinheiro a mais?

– Levar Howard ao veterinário. Ele ainda está mancando.

– Mas é claro que está, Dan. Vocês correm tanto e por tanto tempo. Ele é um cachorro muito velho.

– Mas antes ele não mancava.

– E eu não tinha joanete antes. Você fica de olho na loja por um minuto?

Vou para detrás do balcão, e ela some lá para os fundos da casa. Tento imaginar o Phrenology sem Anne. Quem é que vai cozinhar? E se eles arranjassem alguém que não é tão bom quanto ela? E então perderem os clientes? E então o negócio for por água abaixo? E eu perder o meu emprego? Tenho uma ideia brilhante enquanto vendo um chocolate para um molequinho. Minha mãe é uma cozinheira incrível. E só Deus sabe como ela tem tempo de sobra. Por que ela não pode substituir Anne? Ela precisa sair mais, passar menos tempo sozinha com Thom Yorke… Perfeito.

A Sra. Da Silva volta alguns minutos depois com uns potes plásticos. Cheios.

– Eu fiz curry hoje de manhã. Leve um pouco para casa.

– Obrigado. O que você acha de a minha mãe ficar no lugar de Anne?

Ela sorri.

– Você não é só um rostinho bonito.

Capítulo 21

Ao entrar pelo portão dos fundos, quase tropeço em Oliver.

– Gol! – ele diz ao ver a comida.

– Quer vir comer com a gente? Tem um monte.

– Beleza. Quero falar com você uma coisa também. Lá pelas sete?

Quando abro a porta da cozinha, minha mãe está cantando junto com Thom. Odeio me intrometer, mas tento vender a ideia de ela comandar a cozinha do Phrenology enquanto ajudo a fazer o arroz, o dahl[3] e uma salada.

– Você só tem de fazer uns biscoitos e uns bolos por dia, e coisas tipo sopa, pizza de pão sírio, uma omelete para a hora do almoço, e é isso. Eles não servem janta. Você poderia fazer tudo isso com um pé nas costas.

– Mas quem vai tomar conta do meu negócio?

– A secretária eletrônica. Se você receber um pedido, pode fazer nas horas de folga. E você também não tem tantos clientes assim.

Não conto para ela, mas em segredo sei que é quase literalmente assim – e não no sentindo comum da frase.

3. Cozido cremoso indiano à base de lentilhas, ervilhas ou feijões secos. (N.T.)

Oliver traz pão nan com alho do restaurante delivery e cerveja gelada e tenta me ajudar a convencer a minha mãe a aceitar o emprego no Phrenology.

– Você passa tempo demais sozinha. Não é bom para a saúde do seu cérebro – diz ele. Espero que ela receba a mensagem.

O assunto sobre o qual ele quer falar comigo também tem a ver com trabalho. Ele vai ficar algumas semanas em Londres a trabalho e depois vai voltar com a namorada, e quer que eu cuide da casa dele.

Se estou interessado? Opa, com certeza. Um mundo onde alguém me paga para ficar ali sentado no lugar mais legal que conheço, ligar e desligar as luzes e o som (para parecer que a casa não está vazia) e pegar a correspondência parece bom demais para ser verdade.

• • •

Na escola, Pittney está começando a perder a paciência com a organização do baile. Ele diz que parte do nosso trabalho é "apurar as opiniões" dos nossos colegas de sala. Será que ele não tem nem um pouco de noção sobre como esse assunto é contraditório?

– Baile é coisa de idiota. Eu não vou.

– Contrate a banda do meu irmão, ou não vou.

– Se tiver de usar terno, então não vou.

– Se todo mundo não for obrigado a ir de social, então não vou.

– Tem de ter música de balada, senão ninguém vai dançar.

– Se só tiver música de balada, então não vou.

– Tem de ter comida boa por 20 paus, senão é caro demais.

– É melhor não ter nada para comer, senão o pessoal vai fazer guerrinha de comida.

– Se tiver professor no baile, então não vou.

– A gente precisa ter seguranças à porta, ou o pessoal vai ficar doidão, e se alguém sujar meu vestido, eu mato.

– Mas quem é idiota o bastante para desperdiçar uma noite de sexta num baile imbecil da escola?

Toda essa apuração só fez a gente perceber que aquilo que for decidido não fará diferença nenhuma: algumas pessoas vão odiar o baile – e, provavelmente, odiar a gente também. Depois de decidirmos o seguro e a segurança do evento, e comprarmos umas coisas para a decoração, não sobrará muito para a comida e a música da festa. A gente não sabe quanto ao certo até começar a vender os convites, então precisa colocar essa tarefa no topo da lista.

– É melhor reservar a Corpos Podres também – diz Estelle.

Jayzo faz que sim com a cabeça.

– Quem? – pergunto.

– A banda, seu animal.

– Mas não conheço esses caras.

– São uns caras do 12º ano. E agora, a comida. – Estelle age como se tudo já tivesse sido decidido.

– Espera aí, que tipo de música eles tocam?

– Eles são bons. Tocam umas músicas próprias e uns covers legais também.

– Mas e esse pessoal que só quer música de balada? – pergunto.

– Sinto muito – responde Jayzo.

– Mas por que a gente não chama um DJ? Ele pode tocar tipos de música diferentes, e assim mais gente fica satisfeita.

– Vamos votar – diz Estelle, já ficando irritada. – São dois contra um. Agora, seguindo em frente…

Também estou ficando irritado.

– Mas que jeito mais meia-boca de resolver – insisto.

– O que você tem contra a democracia? – Ela quer saber.

– Nada, mas você não está mesmo representando seus eleitores, se é que quer levar tudo para o lado técnico. – Dou uma olhada na pesquisa que fizemos. – Pelo menos metade do pessoal quer música eletrônica.

– A banda está disponível, e eles são de confiança, baratos e bons – diz. Ela não vai ceder, e Jayzo está do seu lado. Mas que diferença isso faz para mim? Nem estou planejando ir mesmo. Estou sendo nerd demais e querendo fazer meu trabalho da melhor maneira possível. Deixo para lá. Quem se importa?

– Beleza – digo. – Vamos ouvir uns covers ridículos do Muse e ninguém vai dançar. Festão!

– Tá bom! Então vamos tocar Daft Punk no intervalo da banda. Feliz?

– Como nunca na vida.

• • •

Estelle e eu vamos para o grupo de leitura.

– Você acabou de chegar à escola – ela diz. – Por que acha que sabe tudo?

– Não pedi para organizar essa festa. – Faço questão de lembrar.

– Nem eu. E foi tudo culpa sua!

Ah, mas que maravilha. Foi ela quem puxou o livro com tudo.

– Acho que a culpa foi sua, viu?

– Afff! Típico. É a sua cara mesmo fazer isso.

– Você não sabe o que é a minha cara.

– Eu sei o que preciso saber – retruca, como se eu não valesse nada.

– Você não sabe nada sobre mim.

– Eu sei que você estava me espionando. E então, por coincidência, acaba aparecendo no meu sótão.

– Foi coincidência mesmo. – Meu tom de indignação é perfeito. – E foi maldade dizer aquilo a Janie. Eu não contei nada sobre o seu sótão para ela.

– Continue assim. Quem sabe você vira gente um dia?

• • •

Durante o grupo de leitura, Estelle e Janie estão armando alguma coisa. Mesmo com o meu nível saudável de paranoia, sei que elas não estão falando de mim. Mas está rolando alguma coisa. Escuto algumas frases soltas, como "... única chance", "... menor de idade", "... eles nunca checam".

Lou me dá um cutucão na costela.

– Presta atenção. Você está me distraindo.

– Você sabe do que elas estão falando?

– Não sei e não estou nem aí. Olha, vou encontrar com o seu amigo.

– Que ótimo.

– Mas não é para ficar todo animadinho. Só estou fazendo isso para me defender. Minha mãe ouviu falar do baile e está tentando me fazer ir com um idiota filho de uma amiga dela. Como ele se chama mesmo?

– Fred.

Lou me pega olhando para Estelle e me lança um olhar que mistura pena e irritação.

– Por que você não vai lá e convida a menina?

– Quem?

– Estelle, seu trouxa. O máximo que pode acontecer é ela dizer "não".

– Mas é exatamente o que ela vai dizer, então para que fazer isso?

– Porque aí você pode parar com essa obsessão por ela.

– Não tenho obsessão nenhuma – respondo.

Ela revira os olhos.

– E eu não tenho espinhas. – Assim como o Fred, ela consegue me ler como um livro.

– Bom, de qualquer maneira, eu não estava planejando ir ao baile mesmo.

– Ah, mas você vai, sim. Você está no comitê. Você está me arranjando com o seu amigo. Então, sinto muito, mas já é tarde demais.

• • •

Depois da aula, levo Howard ao veterinário. Estou com 60 dólares e acho que deve ser o suficiente para pagar a consulta. Errado. Saio de lá com duas más notícias e um prejuízo de 100 dólares.

A veterinária examinou Howard, fez um raio X e descobriu que ele está com uma ruptura no ligamento cruzado da perna e uma artrite bem séria também. O prognóstico é terrível. A dor aumentará, e ele se mexerá cada vez menos. O remédio pode ajudar, mas o suprimento para um ano custa mais de 1.000 dólares. Uma cirurgia para colocar uma prótese no lugar do tendão talvez ajude, mas pode custar até 1.500 dólares, e só Deus sabe se funcionará mesmo.

A veterinária sugere que, com Howard nessa idade, o negócio pode ser considerar colocar o cachorro para dormir. Ela usa a palavra "eutanásia" como se isso tornasse as coisas melhores. Howard está bem velhinho, eu não tenho grana nem a mínima ideia do que deveria fazer.

Quando chego em casa, já estou chorando. Howard está tão animado, mancando ao meu lado, abanando o rabo. Não consigo aguentar. É como se ele estivesse dizendo "Adoro passear com você, Dan. Não tem coisa melhor".

Ou talvez ele esteja dizendo que é contra a eutanásia. O que faz sentido nessas circunstâncias.

• • •

Estelle está chegando em casa. Ela espera até a gente chegar ao portão de casa. Tenho tempo de enxugar o rosto. Tenho certeza de que ela não perceberá que eu estava chorando.

– Oi – diz ela.

– Oi – falo, com a voz embargada.

– O que foi?

– Nada. É que Howard está doente.

– O que ele tem?

– É a perna dele. – Estou com um nó na garganta grande demais para explicar.

– Os veterinários são capazes de fazer qualquer coisa hoje em dia. Tem até quimioterapia para cachorro.

Exatamente o que eu teria pensado se ainda morasse na dinheirolândia.

Ela se aproxima e me dá um beijo rápido na bochecha. Tudo acaba antes que eu tenha tempo de registrar o que está acontecendo.

– Então estou perdoado?

– Vá sonhando. – Mas ela se vira para mim ao chegar à porta de sua casa. – Não se preocupe, eles vão dar um jeito nele. – E vai embora.

Levo Howard para dentro, percebendo que aquele beijo não tem nada a ver com um beijo de verdade. Aquelas meninas estão sempre se beijando e se abraçando. Mesmo assim, esse beijo teria feito eu me sentir melhor ontem que agora, arrasado como estou ao perceber que pertenço a uma família em que tratamentos veterinários caros são tão impossíveis quanto ganhar um beijo de verdade de Estelle.

Howard merece uma coçada extra atrás da orelha e na barriga e recebe as duas coisas. Não consigo encontrar uma solução para o problema. Tenho dinheiro guardado o bastante para pagar os cem dólares que fiquei devendo, porém isso vai acabar com as minhas economias. Eu poderia pagar pelo remédio enquanto continuar com os meus turnos no café. Mas a cirurgia, nem pensar. Não tem como eu guardar um dinheirão desses.

Sinto uma onda inútil de raiva e tristeza porque meu pai não está aqui para dar um jeito nisso. Não vou conseguir resolver o problema sozinho.

Tento guardar todas as lembranças que tenho do meu pai numa caixa que nunca abro. Mas agora me deixo levar. Imagino que a gente terá uma noite para fazer só coisas de homem. Às vezes, quando minha mãe tinha aula de pilates na quinta-feira à noite e depois saía para jantar com a mulherada da aula, a gente preparava um jantar bem tosco e nada saudável – o tipo de comida que a gente nunca comia. Meu pai dizia: "É o nosso dever, Dan. Estamos ajudando a equilibrar o universo".

A gente ia ao supermercado comprar umas salsichas bem gordurosas e cheias de queijo, mais cebola e batata, e fazia uma tigela enorme de cebola e batata frita. Cada um comia uns dois ou três cachorros-quentes com picles, mostarda e molho. Era proibido comer salada ou qualquer tipo de vegetal. A gente tomava Coca-Cola e dava uns arrotos monstruosos e bem altos – como nunca fazia na frente da minha mãe. Depois, era arrumar a cozinha – e deixar o ar entrar para levar o cheiro de fritura embora –, jogar todas as provas do crime no lixo e assistir a um DVD juntos, um filme cheio de lutas e perseguições de carros – o tipo que minha mãe odeia.

Nesse tipo de noite, eu poderia perguntar ao meu pai "O que vamos fazer com Howard?", e ele responderia "Parece que ele precisa de uma cirurgia. Pode deixar comigo". Os problemas eram resolvidos, fácil assim. É como se lembrar de um conto de fadas, ou de um tempo em que eu acreditava em contos de fadas. Eu não tinha a menor ideia de como a vida era fácil. Mas me permitir lembrar dessas coisas só me deixa ainda mais deprê. A política da caixa fechada é melhor. Ainda estou magoado. E não melhorou nada desde que ele foi embora.

E estou chorando de novo. Isso não pode ser saudável. Estou me afogando. Tudo parece tão implacável e impossível. É como tentar correr no solo sem nenhum atrito. Não posso depender de ninguém, não tem ninguém para resolver os problemas, ninguém para pagar a conta, ninguém para passar a bola. Estou sozinho aqui, sem dinheiro, sem soluções – e a minha mãe, com um negócio que não vai para a frente e sua obsessão por Thom Yorke, certamente não precisa de mais notícias ruins.

• • •

Na manhã seguinte, há mingau de aveia no fogão. E o cheiro de canela. Um café da manhã quentinho geralmente é sinal de bom humor. Minha mãe está sentada com a pasta cheia de contas aberta à sua frente.

– Dan, não tenho escolha. Vou tentar conseguir esse emprego no Phrenology.

– Que máximo! – Fico pensando se existe uma chance para a cirurgia de Howard. Mas a esperança não dura muito.

– Estou atrasada com metade dessas contas. Não tenho dinheiro para pagar. E o banco não vai continuar me bancando, a menos que eu ganhe algum dinheiro.

– Você quer que eu fale com Ali?

– Não, obrigada, querido. Vou falar com ele hoje.

Ela parece mais resignada que feliz, mas pelo menos tentará conseguir a vaga. Espero que Ali não tenha encontrado ninguém enquanto isso.

• • •

Estelle sai pelo portão de sua casa bem quando estou saindo, e vamos para a escola juntos. Por que essa amizade toda de repente? Fico desconfiado. Talvez ela tenha notado que eu estava chorando ontem e decidiu que sou um caso de caridade. Mas quer saber? Posso conviver com essa possibilidade.

Caminhando ao lado dela, só consigo pensar naquele menino do CD, tão sortudo, jogando aquela porcaria de cabelo para trás.

– Você está bravo? – pergunta Estelle.

– Eu? Não. Por quê?

– Você está com muita cara de bravo.

– Só estou pensativo.

Continuo listando meus atributos tão desejáveis. Estômago fraco. Perseguidor de vizinhas. Chorão.

Pensativo. Aposto que o menino do CD está mais para atlético, sexy, com senso de humor. Mas eu tenho senso de humor. Por que não consigo pensar em nada engraçado para dizer?

Continuamos andando nesse silêncio pensativo.

Quando chegamos à escola, ela me encara e diz:

– Talvez eu tenha julgado você rápido demais, Dan.

– Tá-tá. Mas como assim?

– Então, você quer outra chance?

– Claro. – E eu vou falar não para uma prorrogação no corredor da morte?

– Sala da aula de economia doméstica, na hora do intervalo. Temos uma proposta para você.

– Beleza.

Não tem por que fingir que consigo me concentrar na aula de ciências. Estou morrendo de curiosidade e ansiedade. Será que elas estão repensando o filme? Como ator, sou ótimo garçom. Mas vou tentar qualquer coisa para passar mais tempo com Estelle.

A sala de economia doméstica tem um aroma todo próprio de manteiga rançosa e produto de limpeza barato. Elas estão me esperando.

– Primeiramente, você tem de prometer que não vai contar nada a ninguém, mesmo que não concorde em participar disso.

Nada mais justo; segredos comerciais, não colocar em jogo as ideias mais criativas e tudo mais.

– Tá, beleza.

– Bom, então jura.

– Juro que não vou contar a ninguém sobre...

– O que você está prestes a ouvir.

– O que estou prestes a ouvir – repito, olhando para uma e depois para a outra.

Elas se entreolham, concordando em seguir em frente.

– É melhor você sentar.

– Janie inscreveu o filme dela numa competição.

– *Por um Fio de Telefone*. São histórias curtas de crime e suspense para serem baixadas no celular.

– E na terça ela descobriu que está entre os dez finalistas.

– Parabéns! – Até aqui não sei o que tenho a ver com isso.

– Vou para Sydney participar do evento em que irão anunciar o vencedor.

As meninas se entreolham.

– É aí que começam uns probleminhas.

– Probleminhas? – pergunto, desconfiado.

– Janie usou um documento de identidade falso para se inscrever. Eles só aceitavam participantes com 18 anos ou mais.

– E eu tenho de ir para Sydney, mas não posso contar para meus pais. Eles nunca me deixariam ir.

– Então o que você vai fazer?

– A gente juntou o dinheiro para comprar a passagem de ônibus.

– E contei aos meus pais que a gente vai ficar na casa de Estelle.

– A gente sempre faz isso.

– Eles nunca checam.

– O ônibus sai amanhã às cinco e meia da manhã – Estelle diz.

– Então vou ao evento e volto no ônibus de madrugada para Melbourne.

– Então Janie vem para a minha casa. Meus pais nunca estão em casa quando eu chego da escola.

– E Estelle tem um sótão...

Estelle olha para mim. Nosso segredo. Ela não contou nada a Janie sobre a minha visita.

– Janie vai se esconder lá, acordar às cinco da manhã e ir para a rodoviária.

– Mas tem uma coisa... – Elas se entreolham de novo. Está na cara que é aqui que eu entro nessa história.

– Minha mãe tem o sono muito leve, e os alarmes ficam ligados na casa durante a noite. O alarme mostra a que horas e por quanto tempo ficou desligado. – Estelle começa a explicar.

– Então Estelle acha que a gente pode sair pelo seu sótão. Ela falou que tem uma árvore que quase encosta na parte de trás da sua casa. Eu poderia descer pela árvore.

– Não – respondo.

Capítulo 22

COM A CHAVE DE OLIVER NO MEU BOLSO, tenho um plano ainda melhor. Sugiro que Janie fique escondida na casa de Oliver até chegar a hora de ir, Estelle saia pelo meu sótão para não acionar o alarme, e eu vá com elas até a rodoviária.

– Mas você não precisa vir com a gente – diz Janie.

– E se uns doidos atacarem vocês na rua?

– Não vão – responde Estelle.

Afinal, elas acabam concordando que não é má ideia ter um cara alto e um cachorro com elas ao percorrer aquelas ruas nas primeiras horas do dia.

Quando a gente repassa o plano, tudo me parece perigoso, ilegal, maluco – e fadado ao fracasso.

Parece arriscado achar que, só porque os pais delas nunca telefonam uns para os outros para falar sobre as filhas que estão passando a noite na casa uma da outra, não quer dizer que eles nunca o farão. E Janie parece ter a idade que tem mesmo – ou, com bastante maquiagem, no máximo 15 anos –, então ficará meio na cara do pessoal da competição que ela usou um documento de identidade falso. Isso colocará fim a tudo, claro. E não estou muito convencido de que é seguro para ela ir para Sydney sozinha com nada além de uma identidade falsificada. E se alguma coisa lhe acontecer? Ninguém saberá quem ela é.

Elas acham que estou me preocupando à toa, e tenho de concordar com isso; afinal, elas planejaram tudo com cuidado. Geralmente elas não podem dormir na casa das amigas em dias de semana, mas Janie tem reclamado tanto do nosso trabalho de ciências que ganhou permissão para dormir na casa de Estelle na quinta e na sexta. Elas já cronometraram a caminhada até a rodoviária: exatamente 20 minutos. Elas vão levar comida para o almoço e uns lanchinhos, e já têm 10 dólares para um jantar nesses restaurantes de comida para viagem.

A mãe de Estelle está ocupada preparando um catálogo para uma exibição de artefatos asiáticos. Estelle sabe que a mãe anda bem distraída.

Ainda estamos combinando os últimos detalhes do plano quando me dou conta de que ainda não vi o filme. Então elas me mostram. É sobre um assassinato misterioso. Elas usaram fotografias quadro a quadro com três Barbies e um Ken. Também escalaram dois Power Rangers para o elenco, cuja habilidade de girar a cabeça 180 graus e mostrar o rosto ou uma máscara é desconcertante. O personagem final é interpretado pelo Lagarto, um bonequinho do He-Man que consegue lançar sua língua comprida nos inimigos. Ao final, a gente percebe que todos os suspeitos conspiraram para o assassinato. É bem engraçado.

• • •

Tenho de ir para o Phrenology, então o restante do dia será uma correria. Quando estou de saída, Estelle me dá um envelope. Consigo sentir o formato de um sapo de chocolate como agradecimento. Que legal. Coloco o envelope no bolso e chego ao trabalho em cima da hora, evitando por um segundo a bronca de Ali. Ele curte pontualidade.

Vou para a cozinha, deixo minha mochila e pego um dos aventais pretos que todos nós usamos, e lá está minha mãe, tão envolvida na conversa com Anne que mal nota minha presença. Anne me olha por meio segundo: calor, aprovação. Que alívio. Talvez a gente consiga não ter a água e a luz cortadas, afinal. E minha mãe estar ali no café é ainda melhor para o plano das meninas; ninguém verá Estelle e Janie pulando a cerca e indo para o estábulo. Enquanto limpo as mesas e faço malabarismo com a louça, fico rezando para elas não perderem a chave, nem esquecerem o código do alarme. Fico meio assim por deixá-las usar a casa de Oliver. Apesar de a gente não ter tocado no assunto, ele nunca disse que eu não poderia esconder alguém lá. Numa emergência.

O café fica lotado, só registro um turbilhão de biscoitos com confeito de chocolate e milk-shakes, então não me lembro do envelope de Estelle até horas depois, quando estou indo dormir e ouço o barulho do papel se amassando enquanto tiro a roupa. Dentro do envelope com o sapo de chocolate, que já derreteu com o calor do meu corpo, está um bilhete. Como o sapo – o que é meio nojento, porque acabei de escovar os dentes – e leio o bilhete, que diz, na letra de Estelle, e numa linha meio torta:

Gosto de muito de você!
Beijos,
Stell

O quê? Meu coração está saindo pela boca. Leio de novo, para confirmar. Não posso acreditar nos meus olhos. Gosta? Ela gosta muito de mim? Eu sei que essas meninas têm uma tendência ao exagero. E "gostar" não quer necessariamente dizer "amar", é mais como "acho você muito legal", ou "você é gatinho", mas fico preocupado de novo: será que devo convidar Estelle para o baile? Revejo minhas lembranças, tentando recuperar as palavras exatas que ela usou na sua casa naquela noite. "Acho que vou com alguém", "Provavelmente vou com alguém", "Pode ser que eu leve alguém". Será que ela só estava tentando me irritar? Ou convidou mesmo alguém? Mas e se ainda não convidou? As coisas já melhoraram entre a gente desde então. Mas e o menino do CD? Talvez ele esteja prestes a fazer alguma coisa útil, como mudar para outro canto do planeta, por exemplo.

Quando o despertador toca às cinco para as cinco, é como se meu cérebro já estivesse acordado há um tempo e só esperando pelo meu corpo. Pulo da cama e coloco minha calça de agasalho e tênis. Ouço o barulho de alguém arranhando alguma coisa quando a portinhola do sótão se mexe, e então dou comida para Howard, como planejado, e entro no armário. Estelle olha para baixo, e então se vira e desce pela escadinha. Ela faz um carinho em Howard e sorri para mim, seus olhos brilhando de empolgação. Milagre: Howard não late.

E eu me preparei também. Sei que o 14º degrau faz barulho. Peguei uma mochila para levar Howard lá dentro, e um monte de biscoitos para quando ele estiver prestes a latir. Até lubrifiquei as dobradiças da porta dos fundos, uma manobra típica de livros de aventura para crianças para fugas no meio da noite.

Enquanto descemos as escadas, quase caio quando o 13º degrau range e reclama. Aaaaah! Eu devo ter contado o patamar como o número um. Eu congelo, batendo os dentes, e dando um biscoito-cala-a-boca para Howard só por precaução. Estelle segura meu braço com força. Ela está morrendo de vontade de dar risada. O degrau range de novo quando saímos dele. Estelle respira fundo para se acalmar. Eu me forço a contar até dez. Quando chego perto do "seis", ouço uma porta abrir.

– Dan, é você? – pergunta minha mãe.

Estelle agarra o meu braço de novo. Ela vai com cuidado para o degrau à minha frente, para se esconder caso minha mãe desça as escadas. Não sei como, mas consigo desenterrar uma voz de quem está dormindo pesado, apesar do pico de adrenalina que está quase fazendo minha cabeça explodir.

– Só estou levando Howard lá para fora.

– Você quer que eu leve Howard?

– Tudo bem, já estou quase lá. Boa noite.

– Boa noite, querido.

Seguindo uma mancha de luz do celular, vamos em silêncio para o quintal, e as batidas do meu coração vão voltando ao normal quando chegamos à porta da casa de Oliver, onde Janie está esperando a gente.

– Você trancou a porta?

Percebo uma virada de olhos discreta enquanto Janie me passa a chave.

– Você só fez questão de me lembrar disso umas cem vezes, então eu tranquei, sim.

Em seguida a gente sai pelo portão, sobe a rua, passa pela loja da Sra. Da Silva e entra na próxima à esquerda. Quase não há trânsito, e ninguém por perto, a não ser um pessoal dormindo nos bancos enquanto seguimos em direção ao parque.

Antes de chegarmos ao centro, um carro da polícia vem vindo em nossa direção. Tiro Howard da mochila e digo baixinho:

– Estamos treinando.

O carro diminuiu a velocidade e para ao nosso lado.

– Do que ele está falando? – Janie começa a reclamar, mas fica quieta após receber um cutucão de Estelle.

– Tudo bem aqui, pessoal? – pergunta o policial do lado da rua.

– Ahã. Só estamos indo correr. Estamos treinando remo – digo.

– Mas vocês estão bem longe do rio.

– A gente faz um circuito de uma hora antes de chegar às docas, e depois mais uma hora até a água. Cinco vezes por semana.

– Eu calo a boca, rezando para não soar tão nervoso quanto estou me sentindo. Sinto-me culpado só por estar falando com um policial.

Os dois oficiais nos estudam cuidadosamente. Está na cara que não estamos bêbados nem drogados.

Eles pedem para ver nossas mochilas. Janie oferece a dela para inspeção. Ela só está levando roupas, que serviriam para se trocar depois do treino. Mas o que eles estão procurando? Tinta spray? Armas automáticas? Grandes quantidades de drogas caras? Eles falam baixo entre si, e, mesmo que suspeitem de que haja alguma coisa errada, devem ter decidido que tem problemas maiores que a gente nesta metrópole muito louca.

– Boa sorte com o remo – diz o policial que estava dirigindo, antes de ir embora.

Perdemos alguns minutos, então teremos de correr.

A cidade é mais agitada do que a gente imagina às cinco da manhã, quando as estrelas ainda estão no céu. Os caminhões de lixo passam correndo e rugindo como animais em armaduras. E tem um pessoalzinho no pior estágio de uma boa noitada: o final.

Chegamos à rodoviária um minuto antes de o ônibus sair, e nós dois nos despedimos de Janie com um beijo de Estelle e um "boa sorte" meu.

Estelle e eu vamos andando para casa. Estamos empolgados. E morrendo de fome. Ainda está frio e escuro na rua, e quase morremos de rir ao relembrar aquela manhã minuto a minuto – Howard sabia que não podia latir... que companheiro... A sua mãe acordando! Eu tinha certeza de que a gente estava ferrado... Treinando? De onde você tirou isso? Mas o que aqueles caras estavam procurando? E se eles tivessem perguntado mais sobre o lance do remo? É melhor ela ganhar esse concurso mesmo, depois de fazer a gente madrugar...

Passamos pelo parque em diagonal, e então cruzamos a Victoria Parade e corremos para as lojas mais próximas na Rua

Gertrude. Tem um café recebendo entrega de uma van lotada de pães e doces. Juntamos nossas moedas e compramos um pão doce no café para dividir.

A gente se empoleira num ponto de ônibus com os joelhos no banco, e Howard aninhado entre nós como uma bolsa de água quente.

– Quais são os seus créditos no filme? – pergunto.

– Roteiro, produção executiva e efeitos especiais.

– Você que fez aquilo? O barulho quando eles cortam a cabeça dele fora? Que macabro!

– Graças ao violoncelo – diz ela modestamente.

– Mas o que acontece se ela ganhar e eles quiserem comprar o filme?

– A gente ainda não chegou nessa parte.

– Eles não vão poder oferecer um contrato a ela, por causa da idade.

– Isso pertence à categoria de problema muito bom. Vamos deixar para nos preocupar quando acontecer.

Nem posso acreditar na minha sorte, tendo todo esse tempo sem interrupções com Estelle. Ela está mais linda que nunca, com aquele cabelo bagunçado, roupas simples e nem um pingo de maquiagem. Seus olhos são tão claros quanto o céu que amanhece. Como sempre, não consigo parar de olhar para ela.

Ela limpa a boca, meio que com vergonha.

– Tem alguma coisa no meu rosto?

Eu quero dizer "Também gosto muito de você", mas vou de: "Só estou admirando a sua beleza", frase que ela resolver encarar como um comentário irreverente.

– Engraçadinho. – Ela passa o dedo pelo meu queixo. – Migalhas. Vamos, é melhor irmos andando.

Ainda faltam 30 minutos para a hora de qualquer pessoa acordar na minha casa, mas ela tem razão – o dia está ficando mais claro a cada segundo.

Ofereço a minha mão. Ela aceita.

– Estou pronta para dormir mais – ela diz, erguendo-se do banco. – É cedo demais para correr.

Vamos para casa em silêncio, parando na viela que dá para os portões dos fundos das nossas casas.

– Sabe, o baile... – começo.

– Ah, não vá começar com aquela conversa sobre o DJ de novo. Só porque estou cansada não quer dizer que eu vá ceder.

– Claro. Mas é que...

– Eu já lhe contei que achei o vestido perfeito?

– Não.

Ao se lembrar de que sou um menino, e o que isso significa em termos de moda, ela faz uma cara de quem pede desculpas.

– Provavelmente você não está nem aí para essas coisas.

– Claro que estou – minto.

– Então tá: é tomara que caia, de organza cinza-escuro com um corpete, e a saia tem um forro preto por baixo. É lindo!

– Que ótimo, mas eu só queria...

Ela está escutando. Fecho a mandíbula com força para meus dentes pararem de bater e me distraio por um momento com o piado de um filhote de passarinho ao longe.

– Você só queria...

Howard faz um barulho como quem está desapontado. Ele está tão impaciente comigo quanto eu mesmo.

Fuço na minha mochila em busca de um biscoito para manter Howard quieto. Pelo jeito tem um pouco de coragem lá dentro também.

– Eu só queria saber se você quer ir comigo.

Ela olha para mim.

– Ao baile.

– Ai, Dan – ela fala, parecendo... decepcionada ou só com vergonha? – Eu já convidei outra pessoa. Sinto muito.

– Tudo bem. Não tem problema.

– Mas obrigada. Muito mesmo.

– Claro, sem problemas.

Quando entramos na cozinha, já tem alguma coisa no fogão. Ouço o barulho de água no banheiro lá em cima. Por que a minha mãe acordou tão cedo?

Faço Estelle sair rapidinho da cozinha assim que a porta do banheiro no final do corredor começa a se abrir, consigo levá-la para a sala de estar e começo a desamarrar meus tênis com cara de paisagem quando minha mãe aparece.

– Dan! Onde você estava?

– Correndo.

– Você saiu antes das seis horas? – O tom de voz dela está agudo de incredulidade.

– Hum, saí.

– Mas você corre à tarde.

– Geralmente, mas não sempre.

– E o que Howard está fazendo dentro da sua mochila?

Ops.

– A perna dele está doendo.

– Então por que você não o deixou em casa?

– Achei que ele fosse curtir a paisagem.

– No escuro? Quanto tempo você ficou correndo? Sua cama estava gelada.

– Não muito. E por que você acordou tão cedo?

– Estou fazendo umas coisas para o Phrenology.

Ela me lança um olhar de raio X tipo "essa conversa ainda não terminou", que não é sinal de coisa boa, e volta para a cozinha.

Vou até a sala de estar, onde Estelle está congelada, as sobrancelhas arqueadas tipo "socorro!", e corremos lá para cima de novo. Antes de subir pela escadinha do sótão, ela me dá um abraço rápido.

– A gente não teria conseguido sem você.

Capítulo 23

A última parte do plano mais perfeito que Sydney já viu é uma ligação da mãe de Janie para a escola, dizendo que ela não irá à aula hoje. A gente apela para a voz grave e de quem sabe o que está falando de Lou, que tira uma atuação digna de Oscar não sei de onde. Então, tudo resolvido, a gente só precisa esperar para ver se Janie ganha ou não a parada.

Enquanto o dia passa, Estelle verifica seu celular 1 trilhão de vezes. Ela tem de ficar checando porque está no silencioso. Então, quando finalmente chega uma mensagem na última aula, Estelle está tão ansiosa que dá um grito e então finge que viu uma vespa, e a professora fala para ela parar de criancice. E, depois de tudo isso, a mensagem só dizia *quase lá, divirta-se na aula de matemática. kkkk bjs ☺.*

Depois da aula, Estelle fica me esperando como se fosse uma coisa normal a gente ir andando junto para casa. Ela está mordendo de leve a manga da blusa e me convida para dividir o fone de ouvido e escutar um pouco de Hot Chip. A gente se toca no ombro e no braço várias vezes e parece, pelo menos para mim, que ficamos unidos por um tipo de descarga elétrica daquelas de filme de terror antigo, quando eles estão fazendo um transplante de cérebro. Ela parece não ligar ou ser imune a esses efeitos colaterais. Mas talvez por fora eu também seja.

– Quer ir lá para casa e ver o que acontece? – pergunta ela.

Lógico!

– Levo um DVD pra gente – respondo, tentando lembrar meu coração de que ele é um músculo em muito boa forma, e não um tambor detonado.

– Legal.

Entro em casa e dou uma cheirada nos sovacos só por precaução. Tudo bem. Lambo as costas da minha mão, deixo o cuspe secar e dou uma cheirada também – dizem que é um jeito mais eficaz de checar o hálito do que expirar o ar na mão fazendo uma conchinha. Tudo bem também. Deixo Howard vir comigo até a casa de Oliver pegar um DVD.

– O que você acha de *Donnie Darko*? É um dos favoritos dela. E quem gosta desse filme sempre curte ver mais uma vez. E vai ser mais uma coisa que a gente tem em comum.

Howard late aprovando/desaprovando.

– Se você está querendo me dizer que eu não deveria saber que ela gosta desse filme, tem razão. E se acha que a gente vai se aproximar mais ao assistir esse filme, tem razão também. E se você está pensando em como é que vou conciliar esses dois fatos, eu não tenho a mínima ideia.

Ele faz aquele barulhinho, quase um choro, de quando fica preocupado. Isso quer dizer que ele tem de fazer xixi ou acha que minha moral já foi para o saco.

• • •

Os créditos estão rolando sobre a tela, a gente acabou de comer a pizza e fico pensando se posso perguntar a Estelle quem ela convidou para o baile. Eu acho que é o menino do CD. Não consigo decidir se vou aguentar ouvir Estelle falando disso ou não. Agora estamos numa fase nova no nosso relacionamento –

ou seja, agora *temos* um relacionamento –, e ela talvez ache que pode confiar em mim e me contar o quanto ela gosta dele. Bom, isso com certeza eu não vou aguentar. Provavelmente é melhor não saber. Acabo de decidir que com certeza é melhor não saber quando Estelle recebe uma mensagem no celular: *não ganhei, vida loka, amo vc bjs.*

Estelle liga para ela na hora e ficamos sabendo das más notícias. Apesar de Janie não ter ganhado, a plateia adorou o filme – deram muita risada e aplaudiram muito. Mas uma das razões pelas quais ela não podia ganhar era o lance dos direitos autorais por causa do elenco: Barbie, Ken e os Power Rangers.

– Eu nem pensei nisso – diz Estelle.

– Nem eu – berra Janie –, mas o cara que manda lá adorou o meu estilo. Ele disse que vai manter contato.

– Nós adoramos o seu estilo também – responde Estelle.

– "Nós" quem? – quer saber Janie.

– Eu e Dan – Estelle responde, sorrindo para mim.

– Vê se não perde o ônibus – grito.

Ainda estamos empolgados quando ouvimos o barulho da chave na porta da frente. Estelle dá um pulo, assustada.

– Alguém está invadindo a casa. E eles têm uma chave!

Olho ao meu redor em busca de uma arma e pego o controle remoto – tá, não tão mortal quanto eu gostaria, mas era isso ou um livro grande sobre alguém chamado Cy Twombly. Ficamos os dois de pé, prontos para entrar em ação.

Mas é só Vivien. Ela entra com os braços cheios de pastas e uma bolsa de laptop trespassada sobre o peito.

– Mãe? – pergunta Estelle, tentando se recuperar do choque.

– Querida, eu moro aqui, sabia?

– Mas é sexta-feira. Você só chega mais tarde.

– Bom, me desculpe, mas a galeria está uma confusão. Não consigo fugir do meu telefone e preciso de espaço para pensar.

Ela se vira. Alguém está vindo atrás dela quando ela tira a chave da porta.

O rosto de Estelle fica branco quando ela ouve:

– Vivien, oi.

Com pânico nos olhos, Estelle diz, sem som algum, "fodeu!" e continua, falando bem baixinho:

– É a mãe de Janie! O que a gente faz?

Dou de ombros, sem saber. Mesmo tendo previsto esse problema, não tem lampadinha nenhuma piscando sobre a minha cabeça.

– Sarah. Entre – diz Vivien.

– O que você está fazendo aqui a esta hora? – pergunta Sarah.

– Estou fugindo do trabalho para conseguir trabalhar!

– Boa sorte. Não vou entrar, mas você pode dar isso aqui para Janie? Uma noite sem escova de dentes, tudo bem, mas duas? O negócio vai ficar feio.

– Eu nem sabia que ela vinha. Ai, me desculpe, de verdade, mãe negligente! Estou ficando doida por causa da exposição. Estelle, cadê Janie? Sarah trouxe a escova de dentes dela.

Posso ver que Estelle está tão perdida quanto eu. Será que ela está pensando se deveria simplesmente tentar dizer "tomando banho", "no quintal", "presa no guarda-roupa"?

– E ela vai ficar amanhã também? Mas que bom ela fazer companhia a Stell enquanto estou ocupada desse jeito – comenta Vivien.

Agora a mãe de Janie está de pé junto à entrada e com cara de dúvida.

– Mas ela dormiu aqui ontem à noite.

– Não... na quinta? Não! Ela não dormiu aqui, né, Estelle? – Vivien fica pensando se anda tão distante da vida em sua própria casa que nem sabe mais quem é que está ficando ali.

– Sarah, entre um pouquinho. Faz um tempão que não vejo você. Diga o que eu preciso saber sobre a escola. Nossas filhas. A vida. O universo...

Estelle sabe que não conseguirá fingir. Uma hora Vivien conseguiria se lembrar do jantar da noite anterior, e do fato de que Janie não estava lá.

Agora mesmo seria o momento perfeito para eu entrar em cena e salvar o dia, mas ainda não tenho a menor noção do que dizer.

A mãe de Janie já entendeu o olhar de preocupação de Estelle.

– Meu Deus, o que foi?

Estelle e eu nos entreolhamos, reconhecendo que é o fim da linha.

– Cadê a Janie?

– Ela está bem – responde Estelle. – Não tem por que você se preocupar.

– O que você quer dizer com isso, Estelle? Onde está Janie? – pergunta Vivien, trazendo Sarah para dentro de casa e fechando a porta.

– Ela vai pegar um ônibus daqui a pouquinho.

– Daqui a pouco mesmo – completo. Ridículo, mas é tudo que tenho.

– Que ônibus? De onde? – pergunta Vivien, já impaciente.

– Na verdade, de Sydney – conta Estelle. – Mas não fiquem bravas.

A mãe de Janie se senta como se os ossos de suas pernas tivessem amolecido de um segundo para o outro.

Cinco minutos depois, minha mãe está sentada à nossa frente também, e o interrogatório segue a todo vapor.

Elas estão bravas, furiosas, e, mesmo sem ter tempo para conversar entre a gente, eu e Estelle percebemos que é melhor não responder. Às vezes, montar uma estratégia de defesa só piora as coisas. Então nós concordamos que fomos idiotas, irresponsáveis, imaturos, mentirosos e encorajamos uma amiga a assumir um comportamento bem arriscado.

Depois que Sarah fala com Janie ao telefone, e se convence de que a filha está bem mesmo, Estelle tenta me livrar desse crime.

– A gente já tinha planejado tudo antes de contar ao Dan. Tudo o que ele fez foi acompanhar a gente até a rodoviária. Ele até tentou convencer a gente a não ir em frente com o plano.

– Nós não precisamos ser convencidas de que você e Janie são os gênios do mal dessa história – responde Vivien, com os lábios finos e roxos.

– E eu não quero saber se a sua participação nisso foi pequena, Dan; não é certo – minha mãe diz. – E, quando eu fiz uma pergunta direta para você hoje cedo, você mentiu.

– Não é bem assim – começo, mas minhas palavras congelam quando percebo como ela está brava. Vamos para casa.

– Você está de castigo por um mês e isso não é negociável – diz Vivien a Estelle.

– Mas e o baile?

A última coisa que ouço Vivien dizer é "Você deve estar de brincadeira!".

Quando chegamos em casa, a raiva da minha mãe já virou decepção, o que é muito pior de aguentar.

A gente se senta à mesa da cozinha, e ela fica me olhando com os olhos rasos de lágrimas. Eu me sinto tão mal, tão para baixo. Estou em algum lugar entre a sola do meu sapato e a calçada nojenta, entre os intestinos de uma cobra e a areia lisa do deserto, ou até mais baixo, entre os canos do esgoto e o núcleo incandescente da Terra. Também estou entre a cruz e a espada, ferrado. Já era.

– Você está escutando o que estou dizendo?

Ah, não. A velha combinação gritaria-e-tristeza. Eu me ligo e começo a prestar atenção de novo.

Continuo concordando com as acusações. Fico me sentindo como Howard quando ele rola no chão com a barriga para cima e as pernas para o ar. Sou seu humilde súdito. Você está tão, tão certa – eu estou tão, tão errado. E, para falar a verdade, concordo mesmo com ela. Ela me dá os mesmos argumentos que eu tentara usar com Estelle e Janie, sobre como não era seguro uma menina novinha e desacompanhada se aventurar em Sydney; sobre como não era certo mentir sobre a idade; sobre por que é preciso haver uma relação de confiança entre pais e filhos. Nesse último ponto, nossos caminhos se separam. Os pais não precisam saber de tudo, mas, como é bem capaz que acabem descobrindo, é melhor falar a verdade desde o começo.

Ouvindo e fazendo que sim com a cabeça, chego à conclusão de que eu, eu mesmo, daria um pai perfeitamente razoável. Sei todo o discurso de cor.

– Não vou colocar você de castigo, Dan. – Minha mãe está finalmente terminando. – Só Deus sabe como a gente precisa que você continue trabalhando. – Isso traz à tona um lote fresquinho de lágrimas. Não lembro minha mãe de que o castigo geralmente se aplica a atividades sociais "divertidas". Ela está se abrindo para mim, e quem sou eu para impedi-la?

– Sei que você tem a cabeça no lugar e fico feliz por você ter tentado convencer as meninas a não seguirem em frente com essa bobagem. Vou considerar isso como um fato isolado. Preciso confiar em você. É a única maneira de a gente se entender.

Faço que sim com a cabeça, encorajado, mantendo a expressão mais culpada e solene que consigo improvisar. Acho que está dando certo; até que estou escapando de boa dessa.

– E você tem muita sorte por não ter acontecido nada com a casa de Oliver.

Tá, acabei de morder a língua, mas faço que sim com a cabeça de novo, pensando que problema terrível poderia ter provocado uma menina dormir no sofá dele por algumas horas.

– Poderia ter acontecido qualquer coisa. Ela poderia ter ateado fogo a esse lugar. Ou deixado a porta destrancada para os ladrões…

Enquanto imagino Janie entrando em combustão espontânea e queimando a casa inteira, minha mãe começa a viajar. Acho que ela não conseguiu convencer nem a si mesma de que Janie poderia ter aprontado muito.

– Você vai escrever uma carta aos pais de Janie se desculpando por sua parte nesse plano.

– Você acha mesmo que é uma boa ideia? Isso não pode acabar estendendo o assunto demais? – Ela afoga minha objeção com um olhar que deve conter um quilômetro cúbico de água gelada.

Então escrevo:

Caros Sr. Preston e Sra. Bacon,

Venho por meio desta me desculpar por ter participado do plano para possibilitar a viagem de Janie a Sydney a fim de comparecer ao concurso "Por um Fio de Telefone".

Estou realmente arrependido de tê-la ajudado nessa empreitada potencialmente perigosa. Muitas coisas poderiam ter acontecido, mas, graças a Deus, nada aconteceu.

Por favor, aceitem meu pedido de desculpas e a garantia de que irei opor-me com mais ênfase se um esquema similar for planejado com o meu conhecimento. O que, tenho certeza, não acontecerá.

Atenciosamente,
Dan Cereill

Fico me sentindo um idiota completo, mas vou sobreviver. Passar vergonha é uma das minhas principais tendências.

Fico pensando que a carta é um pouco prematura; pode ser que role um acidente fatal com o ônibus na estrada. Colocarei no correio só amanhã cedo. Também percebo que, como por milagre, o papel do sótão nessa grande fuga passou totalmente despercebido.

Meu estômago se manifesta e ajuda a mudar de assunto ao produzir um rugido de fome. A gente cozinha macarrão e mistura com um pouco de molho de latinha que sobrou. Enquanto temperamos a comida com uma conversa educada e discreta, percebo que a cozinha está cheia de biscoitos e bolos e um monte de coisas gostosas.

– Esses daí estão com uma cara boa.

– Ali disse que gosta da ideia de experimentar umas coisas diferentes enquanto eu ficar responsável pela cozinha.

– Que bom que você conseguiu o emprego.

– Bom, não é bem um emprego.

– São oito semanas.

– É melhor que nada.

– E pode levar a outras coisas.

– Sim, oito semanas de pagamento. – Ela soa meio amarga. Também pudera. É fácil esquecer como a vida dela era diferente alguns meses atrás.

– Admiro muito a maneira como você está lidando com tudo isso – digo, e fico meio envergonhado. Alguém tem de dar uma força para ela. E só tem eu aqui.

Ela me abraça. Levo Howard para fazer seu xixi antes de ir dormir e subo para dormir mais cedo.

Ao fechar a porta do meu quarto, ouço um sussurro alto vindo do alçapão no teto:

– Dan, você está aí?

Estelle está me olhando pela fresta do alçapão, e abre a tampa mais um pouco.

– Posso descer?

– Claro.

Vejo se a porta está trancada e ligo o rádio para encobrir nossa conversa.

Quando Estelle desce a escadinha, consigo ver que ela está chorando.

– Você acha que Janie está bem? Minha mãe me deixou tão preocupada, falou que ela pode ser assaltada ou atacada no ônibus, ou que pode sofrer um acidente, ou qualquer outra coisa terrível. E que será culpa minha, porque não a impedi de ir.

– Mas a decisão foi dela. Ela teria ido de qualquer jeito.

– Ela não teria como ir sem a grana que dei a ela.

– Bom, pelo menos assim ela não teve de pedir carona.

– Talvez – diz ela, permitindo sentir-se um pouco reconfortada.

– Vai dar tudo certo. O único perigo que Janie terá de enfrentar agora são os pais dela.

– Minha mãe vai devolver meu vestido para a loja – Estelle conta entre soluços e mais lágrimas. – Ela é horrível.

Não faço ideia do que ela está falando.

– O vestido cinza. Eu falei para ela. O vestido que eu amo; nunca mais vou achar um vestido assim!

– ... Que saco!

– Uau, o que é isso? – Estelle foi até a minha escrivaninha e está fuçando na caixinha de bichos entalhados a mão que Adelaide deixou para a minha mãe.

– Insetos. Sapos. Uns carinhas estranhos.

– Que fofos! – ela funga.

– Pegue um para você, o que mais gostar.

Ela sorri para mim.

– Só emprestado. Para me animar.

Ela analisa a coleção com calma e escolhe um carinha gordo sentado em cima de um sapo. É o meu favorito também, porém ela pode levar sem problemas. É mais um sinal de como a gente combina. Se ela percebesse...

– Odeio como a gente tem de ser independente e mostrar iniciativa, mas só se for nos termos deles. No segundo em que você mostra iniciativa de verdade, eles só querem enfiar você de volta na caixa, como um brinquedo.

– Você vai ficar mesmo de castigo por um mês?

– Em teoria, vou. Mas posso vir visitar você. E sempre tem a árvore também.

– A árvore não, por favor.

– Você tem de parar de se preocupar tanto – ela diz. – E você, ficou muito enrolado por causa dessa história?

– Não muito. Acho que, como a gente está vivendo no limite aqui em casa, esse tipo de coisa acaba encolhendo.

– Rolou gritaria?

– Um pouco.

– Minha mãe berrou muito quando vocês foram embora. Não estou de brincadeira, acho que ela quase perdeu a voz. Ela finge ser racional na frente dos outros, mas parece uma maluca quando estamos sozinhas. E é claro que o mundo gira em torno dela. Acabei com a noite dela! Ela ficou ainda mais estressada exatamente quando precisava de um pouco de paz para pensar! Acho que ela pensa que vive numa novela.

Estelle se dirige para a escada.

– Eu preferia ficar aqui com você e Howard, mas é capaz de ser mais um motivo para ela mostrar como eu sou irresponsável e inconveniente.

• • •

Mais tarde, por meio de uma série de mensagens que recebo pelo celular, descubro que Janie chegou em casa sã e salva, no horário marcado, e já foi direto para o castigo. Os pais dela estão furiosos. Enquanto ela e Estelle decidem ficar quietinhas, tenho um compromisso social (ou melhor, um desafio) que precisa da minha atenção. Vou apresentar Lou a Fred.

Marcamos de nos encontrar no shopping Richmond Gardens e ir ao cinema; assim, se eles não se derem bem, pelo menos ninguém terá perdido muito tempo.

Fred já está na entrada do cinema quando eu chego. Lou aparece um minuto depois. Acho que ela estava só de olho lá do mezanino do Boliche Skittle City, esperando que eu aparecesse. Quando os apresento, os dois se medem de cima a baixo. Lou vai direto ao assunto.

– O nosso baile acontece daqui a duas semanas, e Dan disse que eu deveria convidar você. Eu confio na opinião dele, e ele falou que não seria terrível demais sair com você. Então, quer ir comigo?

Fred não consegue acreditar no que está ouvindo.

– Você é bem direta, né? – diz ele.

Lou dá de ombros. É a cara dela fazer isso.

– Nós dois sabemos por que viemos aqui. Não sei fazer sala. Se a gente conseguir resolver isso, pode esquecer o assunto e aproveitar o filme.

– Tá. Beleza. Claro que quero ir – responde Fred. – Quando é?

– Daqui a pouco mais de duas semanas. No dia 24.

– Melhor ainda. Minha madrasta está tentando fazer com que eu saia com a filha de uma amiga dela no mesmo dia. Consegui resistir até agora, mas isso resolve o problema de vez.

– Minha mãe também está me enchendo o saco por causa do filho de uma amiga dela. Então isso me deixa livre também. Até parece que posso levar dois caras ao baile.

Fred pergunta:

– O nome da sua mãe... não é Maggie, é?

– Você está me tirando? Quer dizer que a sua madrasta é Harriet? Do departamento de História?

– É.

– Caraca. Então você é o menino charmoso – diz Lou, sorrindo.

– E você é a gracinha de menina.

Essa notícia dá origem a um debate intenso sobre a teoria da probabilidade. Não é o tipo de conversa clássica para um primeiro encontro, mas pelo menos quebra o gelo. Eu lembro que os dois adoram os livros do Philip Pullman, e, quando trago isso à tona, não há o que faça os dois pararem de falar.

Quando Fred vai pegar uns folhetos sobre os filmes, Lou aproveita a oportunidade para conversar comigo a sós.

– Você estava certo. Ele é gente boa. Tipo uma versão mais baixinha e nervosa de você. E as espinhas dele não são tão horrorosas assim.

Bom, pelo jeito parece que o amor é mesmo (pelo menos) míope.

Fred volta e pergunta quem quer uma casquinha de sorvete com cobertura de chocolate. Lou diz que só quer se tiver de amora. Nossa! É o sabor favorito de Fred também. Aqui o compatibilidômetro acabará explodindo.

Quando Lou vai jogar o papel no lixo, Fred me dá seu parecer.

– Ela é bem estilosa. E não fica com aquela conversinha de menina que a gente nunca consegue decifrar. E ela nem tem tanta espinha assim.

Uau!

Eu deveria ter previsto o que acontece em seguida. Faço questão de que eles se sentem um ao lado do outro no cinema; assim eles podem conversar. No minuto em que a última mordida de sorvete é engolida, eles já estão de mãos dadas. O filme começa e, cinco minutos depois, ouço aquele barulho de beijo molhado.

Se você já se sentou com dois amigos dando o maior amasso no escuro, então sabe como é desconfortável.

– Gente – digo –, não estou conseguindo ver o filme direito daqui. Vou sentar mais perto da tela.

Nenhuma resposta.

Quando encontro os dois depois do filme, eles já têm planos para se encontrar no fim de semana.

Estou perdendo tempo trabalhando no café... está na cara que eu deveria abrir uma agência de namoro.

Capítulo 24

Lou só quer saber de falar sobre Fred – ela não está acreditando que gosta de um menino que gosta dela também. E Estelle e Janie só querem saber de falar sobre o baile – elas não estão acreditando que não poderão ir e nessa injustiça toda.

Agora sentamos todos juntos porque Lou ajudou fazendo a voz da mãe de Janie. Estou aproximando outras pessoas, pela primeira vez na vida.

– Estou de castigo porque me atrevi a ser criativa – reclama Janie. – Isso deve ser contra alguma convenção das Nações Unidas, pô.

– Acho que o problema está mais no lugar onde você resolveu ser criativa – diz Uyen.

– Estou de saco cheio de ter de conviver com gente que se apega a esses detalhezinhos sem importância – Estelle responde.

– E se a gente for ao baile mesmo assim? – Janie pergunta.

– Vão. Assim vocês ficam conhecendo Fred – Lou diz.

– Seria demais. Se a gente conseguisse dar um jeito nisso – replica Estelle. – Mas acho que não vai rolar.

Janie está com aquela cara de louca de novo.

– Por que a gente não pode simplesmente ir ao baile?

– Porque eles matariam a gente.

– E isso seria pior do que perder o único baile que a gente teve na vida?

– Vocês conseguem sair de casa sem ninguém saber? – pergunta Lou.

– Estelle consegue – Janie responde, olhando para mim como quem diz "dessa você não escapa".

– Não, a árvore não.

– Dan, você precisa superar esse medo irracional de descer por aquela árvore – afirma Estelle, parecendo a mãe dela.

O olhar concentrado e calculista de Janie está começando a me preocupar.

– Você sabe como eles ficam superbravos e enchem o saco logo depois que você faz alguma coisa errada? – ela pergunta.

– Ahã, mas depois melhora um pouco.

– Exatamente. Então, que tal experimentar um "eu sei que estou de castigo, mas, como vou perder o baile, posso pelo menos dormir na casa de Estelle"?

Elas me olham, esperando uma resposta.

– Vocês duas querem descer pela árvore?

– Você tem alguma ideia melhor? – questiona Estelle.

– Ficar em casa?

– Dan!

– Mas com que roupa a gente vai? – Janie pergunta. – Já que as nossas mães malvadas devolveram nossos vestidos.

Estelle sorri.

– O sótão de Dan tem um monte de caixas cheias de umas coisas antigas lindas. Roupas também.

– Ah, então vai ser um lance vintage? Tá, gostei – responde Janie.

– Mesmo que eles descubram depois e as coloquem de castigo por uns dois meses, pelo menos vocês terão ido ao baile – concorda Lou.

– Se eu fizesse isso, meus pais me deixariam de castigo por um ano – diz Uyen.

– Se eles pegarem a gente, vai ser prisão perpétua no mínimo – diz Estelle.

– Então a gente dá um jeito de eles não descobrirem, ué – fala Janie, dando de ombros. – As soluções mais simples são sempre as melhores.

Pittney está encarando a gente e ensaiando um chilique se continuarmos conversando, mas posso ver que ele está se metendo num problemão com a equação de segundo grau que está colocando na lousa. Estou pronto para distrair o professor com isso se ele começar a encher o saco.

– Dan, você pode usar um daqueles ternos antigos bem legais.

– Mas eu não vou – respondo.

– Como assim? – Janie pergunta.

– Não vou, ué.

– Mas não dá para você não ir – diz Estelle. – Você está no comitê.

– Eu não pedi para participar.

– Mas você fez de tudo para eu e Fred irmos juntos, e não vou deixá-lo não ir – Lou fala.

Parece que foi ontem que eu era o cara novo da escola. Mas agora estou aqui na sala com gente que se importa de verdade se vou ou não vou a uma festa. Então, de alguma forma, e aos trancos e barrancos, as coisas estão dando certo. Essa sensação reconfortante evapora quando Pittney começa a chamar minha atenção.

– Sr. Cereill – berra ele. – Já que metade da sala está prestando atenção em você, que tal continuar explicando esse problema?

Manobra esperta. Está na cara que ele quer incluir um pouco de humilhação pública no pacote. Mas ele é que está pisando na bola, e sei exatamente onde ele errou. Então, vou até o quadro branco, pego a caneta e resolvo o problema – refazendo alguns passos para consertar o erro dele.

Ele não fica muito feliz.

Um pessoalzinho ergue a mão para me cumprimentar enquanto volto para minha carteira. Todo mundo gosta de ver um professor desmoralizado uma vez ou outra. Confesso que estou adorando a atenção, e é por isso que nem percebo quando Jayzo coloca o pé na minha frente. Vou de peixinho para o chão, batendo meu cotovelo com tudo. Quanto maior a altura, maior a queda. Acabo criando uma migalha inédita de amizade entre Pittney e Jayzo, e sou obrigado a lembrar que nunca posso baixar a guarda com Jayzo por perto.

Na saída, Estelle e Janie estão esperando por mim no portão da escola para a nossa excursão de ciências. Vamos para o jardim botânico. Para desenhar espécies do clima seco. Que emoção.

Elas não aceitarão um "não" como resposta para o plano de fuga para o baile.

No metrô de superfície, enquanto o vagão vai de um lado para o outro deslizando pelos trilhos, Estelle tenta me convencer a todo custo. Olho nos olhos sérios dela e tenho de fazer força para me concentrar e não demonstrar que sou todo dela e que, basicamente, faria qualquer coisa que ela pedisse – legal, ilegal, prazerosa, dolorosa, moral, imoral, segura, arriscada, divertida, chata...

Ela sacode o meu braço.

– Dan, você está me ouvindo? Você nem se importa, né?

Se eu me importo? Como é que é? Estou no mesmo nível do "gosto muito de você", o que me faz pensar de novo naquela dúvida cruel: quem é o menino do CD? Será que eles namoram sério? Será que é por isso que ela está tão desesperada para ir ao baile? Se eu for ao baile, será que vou aguentar ver os dois juntos?

– Dan!

– É claro que eu me importo. Só não sei se essa é a decisão mais sábia.

– E quem está falando de sabedoria aqui? – berra Janie, compartilhando sua visão sobre o assunto com o metrô inteiro. – Você está me achando com cara de coruja?

– Elas só querem se divertir um pouco – diz a senhora do banco em frente ao nosso, que usa um casaco de lã abotoado até o pescoço e uma boina combinando.

Janie adora o apoio da plateia. Ela concorda e começa a cantar na maior altura uma música sobre meninas que só querem se divertir.

Estelle se junta ao coro mais afinada, rindo, e a velhinha bate o guarda-chuva no chão acompanhando o ritmo. Acho que faz tempo que ela não se diverte assim.

– Ele vai concordar – diz Estelle, de olho em mim. – Isso aí foi um sorriso. – Ela me dá o braço. – Fala que sim, vai.

– Eu concordo, mas só se vocês tiverem consciência daquilo que estão arriscando.

– A gente tem consciência – respondem em uníssono.

Contudo Uyen não está tão convencida assim.

– Mas foi por mentirem assim que vocês acabaram ficando de castigo – ela diz.

– Na verdade, não – responde Janie.

Concordo com Uyen.

– Vocês estão mentindo sobre dormir na casa de Estelle de novo – digo.

– Não é bem assim. Dessa vez a gente vai dormir lá de verdade. Só vamos dar uma saidinha rápida antes – Estelle argumenta.

– Mas os seus pais não vão ficar de olho em vocês? – pergunta Uyen.

– Minha mãe tem a inauguração da exposição, e meu pai passa a noite toda ao telefone fazendo negócios com gente que mora em lugares com outros fusos horários. Ele não vai chegar nem perto da gente.

Bom, acho que não tem jeito mesmo de dissuadir as duas. Penso na carta que acabei de escrever aos pais de Janie e tento acalmar a minha consciência pensando que pelo menos me esforcei para convencer as meninas a não seguirem em frente com o plano.

Quero ser bom, mas a bondade é um cliente difícil de agradar. Decido me contentar em ser leal aos meus amigos. Será que isso faz de mim um banana? Bom ou ruim? Certo ou errado? Vai saber!

A gente tem de encontrar o "jardim árido", o "gramado de eucaliptos" ou o "jardim californiano", mas a maior parte do pessoal se manda para a estufa tropical para se esquentar um pouco e relaxar. Lou e Uyen vão para o jardim árido. Estelle e eu também partimos nessa direção, mas ela está tremendo de frio, então entramos na estufa dos cactos para nos aquecer no caminho.

Está tão quente aqui que a condensação escorre pelas superfícies, mas aqueles espinhos todos fazem o calor parecer perigoso.

– Assim é melhor – diz Estelle, ainda batendo os dentes de frio.

Quero colocar meus braços ao redor dela para ajudá-la a se esquentar, mas é claro que não coloco.

– Isso nem parece planta – ela comenta, levemente horrorizada. – É uma afronta ao reino das plantas.

– Eles têm um jeitão de doença – concordo.

– Tumores.

– Ou mutantes que se formaram depois do fim do mundo...

– É, quando as plantas cruzaram com umas coisas melequentas...

– ... com arame farpado.

– E são todos nojentos – diz ela enquanto anda pela estufa. – A não ser você. – Ela está falando com uma babosa. – Oi, babosa. – Ela quebra a pontinha da folha. – Você está com algum arranhão?

Bem que eu queria. Seria o ponto alto da minha vida: ser besuntado de babosa por Estelle. Eu poderia escrever uma música sobre isso. Ou um poema épico. Ou uma tragédia. Dependendo do resultado.

Sem querer, apoiei-me numa besta espinhenta, que está presa no meu moletom.

– Ai.

– Esse negócio está tentando comer você. Apesar de você não ser um inseto, obviamente – diz Estelle, tentando me soltar.

– Ops! Consegui soltar o menor, mas tem um maior aqui. Ai, credo, isso aqui não é folha, parece um remo gordo, sei lá.

– Está espetando as minhas costas – digo. Ai, que dor. Vou precisar de babosa a qualquer momento agora.

– Fique quietinho – Estelle pede.

Estelle está bem perto de mim agora, então ficar quietinho é bem difícil. A proximidade dela vira a chavinha que manda na distribuição de sangue pelo meu corpo. Garganta fechada, cabeça girando. Paralisado. É como querer sair correndo num sonho e não conseguir.

– Acho que fica mais fácil se você tirar o moletom – ela diz, e começa a levantar minha blusa de levinho. Não é nada confortável ficar com tesão e ser cutucado por um cacto ao mesmo tempo. Deve até ser um lance bem comum em algumas comunidades, mas não para mim.

Eu tenho de me lembrar de continuar respirando, então tiro meus braços com cuidado de dentro do moletom, e depois a cabeça, e, ao me afastar lentamente do cacto, vou direto para os braços de Estelle, que estão erguidos, segurando meu moletom agora vazio. Estou prestes a lhe dar um beijo – sem nenhum aviso, e o mais incrível é que ela parece estar esperando exatamente por isso, aceitando – quando as portas de vidro embaçadas se abrem e Uyen e Lou entram com uma rajada de ar frio.

– Ah, então vocês estão aqui.

– A gente achou que vocês tivessem se perdido. – Lou me lança um olhar do tipo "sei o que vocês estavam aprontando".

– O cacto me espetou – tento explicar.

Estelle tira meu moletom do cacto.

– Acho que todo mundo vai ter de ajudar dessa vez. Olha só.

Encaramos o moletom. Ele está coberto de espinhos.

– Não é tão ruim assim – diz Lou. – Esses grandões são muito mais fáceis de tirar que aqueles pequenininhos peludos.

Olho para Estelle, mas, fosse o que fosse o que estava prestes a acontecer, fugiu pelas portas abertas.

• • •

Quando chego ao Phrenology depois da aula, quase não reconheço Ali. Ele está na cozinha apoiado num banco, conversando com a minha mãe. Sorrindo. Isso deixa o rosto dele tão diferente! Ela está sorrindo também. Eles estão conversando sobre comida e parecendo... à vontade? Tem alguma coisa errada aqui. Ali me passa um avental com tudo e me manda começar a limpar as mesas.

De mesa em mesa, noto que as criancinhas estão adorando os biscoitos de carinha que minha mãe faz – uns de cara feia, outros mostrando a língua de lado, outros bigodudos ou dando uma piscadona. Eles são um sucesso.

Vamos a pé para casa juntos depois do trabalho, e há mais notícia boa vindo aí. A sobrinha da Sra. Da Silva vai se casar e encomendou um bolo: o Marylin. (Não vale a pena explicar. O bolo fica sobre uma cama de penas de avestruz cor-de-rosa.) A Sra. Da Silva foi junto fazer a encomenda e não deixou minha mãe começar aquela conversa de conselheira matrimonial. Elas conversaram apenas sobre o bolo, o preço e os detalhes da entrega.

Capítulo 25

Geralmente, correr é uma boa maneira de se esquecer de tudo. Passar a toda a velocidade pelo mundo, empolgado, o barulho dos passos no chão e o borrão das imagens passando por mim – deixo minhas preocupações para trás como um lagarto trocando de pele. Quanto mais força, resistência e velocidade percebo que tenho, mais gosto de correr. Eu nem ligo para a dor. Forçar o meu limite, além da minha zona de conforto, faz me sentir mais forte. Não tem pensamento algum dentro de mim, só uma máquina. Geralmente. Mas hoje não. Hoje preciso lutar contra o quase beijo.

Eu sei, porque já vi as meninas falando disso, que esse é o tipo de "questão" que elas discutem por horas a fio. Durante a aula, em conferências urgentes na hora do almoço, e depois da aula, falando ao telefone, com certeza. O que cada olhar ou comentário minúsculo significa? A análise exaustiva do "por um lado, mas por outro lado" de 360 graus que não esquece nenhum detalhe pelo caminho.

Corri o caminho inteiro do Fitzroy até a pista que contorna o jardim botânico – estou de volta à cena do crime. Já está escuro, e o trânsito do horário de pico na cidade deixa o ar abafado. O Rio Yarra, que tem cor de lama durante o dia, está preto, brilhando à luz elétrica que vem dos prédios da cidade. Saio correndo, amassando a pista de areia comprimida no caminho, precisando como nunca de alguém para me ajudar a dissecar, especular, interpretar tudo isso. Com Fred não rola; ele simplesmente diria "pergunta para ela". Lou diria a mesma coisa. A questão é: (a) você ia mesmo me beijar? E (b), se ia mesmo, o que isso quer dizer para você, para mim e para o cara que você convidou para o baile?

O rosto dela estava tão lindo quando a gente quase se beijou que quase não aguentei. Não sei como minhas retinas não queimaram. A expressão dela foi aberta, a sua mensagem, simples e completa: estou aqui e me mostro para você. O reino distante ficou perto o suficiente para ser alcançado, por meio segundo.

Ou talvez eu esteja viajando, e tudo não passou de uma miragem induzida pela umidade; 90% de desejo e 10% de condensação. E como vou saber quando a vir de novo? Fico cansado com esse lance de não baixar a guarda quando estamos juntos. Mesmo sem querer, estamos prontos para tirar sarro de tudo, servindo o dia com uma porção gigante de ironia, escárnio e cinismo. Até parece. Agora toma.

• • •

Quando chego em casa, quase sem ar, tirando meu cabelo molhado de suor dos olhos e secando o rosto na camiseta, Howard, meu outro problema urgente, está esperando por mim ao lado da porta da frente. Ele fica de pé com um pouco de dificuldade e balança o rabo. Eu o pego no colo e o levo para a cozinha. Ele é levinho.

– Que pena que você não pode mais correr comigo – falo para ele.

Talvez eu possa pedir para minha mãe uma parte do dinheiro que ela vai ganhar com o bolo para levar Howard ao veterinário.

Tem alguma coisa estranha acontecendo. Uma ausência do Radiohead. Minha mãe está ouvindo um blues meio antigo.

– Você gostou? – ela pergunta. – Ali me emprestou.

– Mudar faz bem.

Fico pensando num jeito diplomático para falar sobre dinheiro, mas não consigo dizer nada.

– O pai está mandando dinheiro para a gente?

Ela se senta e cai na risada. Começa como uma risadinha abafada, mas se transforma numa gargalhada de surpresa. Então acho que a resposta é "não". Ela finalmente se acalma, respirando fundo.

– Você está precisando de alguma coisa em especial? É para o baile? Só posso sugerir a loja da instituição de caridade, querido.

– Não. Foi só curiosidade.

– Tenho certeza de que ele vai mandar alguma coisa quando puder. Mas ele não está trabalhando.

Então percebo que faz tempo que não evito falar ao telefone com ele.

– Cadê ele?

– Num tipo de spa em Byron Bay. Ficando mais centrado, ou com os pés no chão, ou alguma coisa assim.

– Por quanto tempo?

– Ele falou que vai ficar lá um mês.

Ela começa a rir de novo.

– Levando uma vida bem básica. Carregando água, cortando lenha, meditando. Dá para imaginar?

– E como é que ele está pagando por isso?

– Essa é a melhor parte dessa história. Ele fez um acordo: eles deixam seu pai ficar lá, e ele faz um planejamento do negócio deles.

Fico pensando se esse pessoal sabe que meu pai foi à falência. Por mais que eu tente, não consigo imaginar meu pai, sempre ligado na tomada, levando esse tipo de vida. Posso imaginá-lo chegando com tudo num jardim calminho com seu terno italiano e gravata de seda e atacando com uma piada nova. Mas meditando?

– Ele vai fazer o trabalho direitinho – ela diz.

Ela enxuga as lágrimas da gargalhada com as costas da mão.

– Tenho saudade dele, Dan. Isso é a cara dele. Ele vai acabar abrindo uma franquia desse negócio.

Ela me lança um olhar sério. Entrei de gaiato numa armadilha, sem a mínima noção.

– Ainda estou de mau humor por causa do negócio do seu pai, mas eu sabia que...

Ah não, ela vai falar de sexo.

– Ele era o meu melhor amigo e... quer dizer... acho que eu sabia... de umas coisas.

– Mãe, por favor. – Olha só essa situação e cale a boca.

– Nem sempre as coisas acontecem do jeito que a gente imagina...

Ela me olha como se estivesse tentando ler a minha mente, no entanto, minhas telas defletoras de pensamento estão sempre no lugar agora.

Será que ela não consegue dragar as profundezas lamacentas da sua própria adolescência e lembrar como é perturbador pensar nos próprios pais transando? E isso não tem nada a ver com a escolha dele. E então tenho uma ideia. Pais + sexo (heterossexual... gay... qualquer tipo) = zona proibida.

Crio um programa de autoajuda em nove passos sobre como eu lido com a sexualidade do meu pai:

- Ele é hétero, mas não quero saber mais que isso.
- A grande bomba da revelação gay.
- Choque.
- Incredulidade.
- Raiva.
- Vergonha.
- Ambivalência.
- Aceitação.
- Ele é gay, mas não quero saber mais que isso.

Em resumo, se eu nunca quis saber sobre isso antes, por que deveria me interessar agora?

Talvez eu possa escrever uma matéria sobre isso para uma revista e ganhar uma grana para a cirurgia do Howard.

Minha mãe está picando um pedaço de chocolate. Ela faz suas próprias gotas de chocolate. Elas diz que ficam "mais rústicas" que aquelas que a gente compra no mercado.

– Talvez eu devesse ter falado sobre isso com você, mas pedi para ele vir ficar com a gente por uma semana depois desse retiro no spa.

O quê?

– Não vou deixar vocês se afastarem desse jeito. E, com certeza, ele também não quer que isso aconteça.

– Foi ele quem saiu de casa.

– Ele vai ter de explicar por que as coisas aconteceram desse jeito. O que é outro bom motivo para ele vir passar um tempo aqui.

De repente, eu não tenho tanta certeza de que estou desenvolvendo um entendimento mais maduro da situação do meu pai, e bate aquela ansiedade. Não estou pronto para vê-lo. Isso envolveria ter de falar com ele. Para acabar com essa conversa, digo que tudo bem ele ter ido embora, que estou bem. Mas não consigo. Estou ricocheteando como uma bolinha de fliperama, da ambivalência à incredulidade e então à raiva, e quicando perto da vergonha de novo. Justo quando eu achava que as coisas estavam evoluindo. Até parece que eu sei alguma coisa.

Howard solta um chorinho de reclamação que se transforma num latido agudo. Ele está pensando na cirurgia.

– Acho que Howard quer jantar – minha mãe diz.

E em comida.

Faço um carinho em Howard como quem se desculpa e tento levar a discussão de volta para o assunto "dinheiro".

– Então, que legal que a moça encomendou o bolo.

– E bem a tempo de a gente se safar das dívidas no banco.

– Então não vai sobrar nada.

– Nada. Só vai dar para pagar as contas. E por pouco. Se eu continuar fazendo umas encomendas para o Phrenology depois que Anne voltar, quem sabe a gente consegue sair do vermelho.

– Que ótimo.

– Quer saber? É ótimo mesmo. – Ela parece satisfeita de verdade.

• • •

Pittney nos encurrala dois dias depois para falar sobre o baile e dizer que estamos chegando ao final da "fase de planejamento", e quer saber o que "finalizamos".

Na verdade, tudo que finalizamos foi um plano arriscado para Estelle e Janie conseguirem ir ao baile – e que só dará certo se elas conseguirem que os pais deixem Janie dormir na casa de Estelle, mas eu duvido muito. Além disso, não tem nada decidido, a não ser o local da festa – o ginásio.

Quando estamos terminando de almoçar, eu cedo, e escalamos a Corpos Podres, a banda do 12º ano. As meninas dos parênteses intercambiáveis estão com frescura em relação aos comes e bebes, e então perguntamos se elas querem tomar conta disso – e elas respondem (aimeudeus) (tipo) (demais) (total) (urru). Assim, todo mundo fica feliz.

• • •

Nada de Radiohead de novo quando chego em casa. Salsa. Minha mãe está dançando pela cozinha enquanto prepara sei lá o quê. Pessoalmente, não curto ver pais dançando, não é natural. Mas posso ver que é um bom sinal. Tenho certeza de que tem a ver com ela saindo de casa e conhecendo outros seres humanos. Como Oliver disse, é bom para a saúde do cérebro.

– Eu aceitei ir com Ali à festa de 20 anos de formatura dele.

Faz 20 anos que o cara saiu da escola. Como será que é ser velho assim?

– Como você está sendo legal. – Vai entender.

– Mas, Dan, por causa do prazo do bolo de casamento da sobrinha da Sra. Da Silva...

– Hum? – Sinto que vem um favor por aí.

– Todas as camadas, e marinar as frutas... a última camada vai ter de ser assada na noite da festa.

– Não tem problema. Eu fico de olho.

– Você terá de ficar de olho mesmo, com atenção, ou tudo irá por água abaixo.

Tento não virar os olhos. É claro que entendo o que isso quer dizer. E eu já não passei pelo desenvolvimento dos produtos, os primeiros bolos, os testes mais avançados, a fase de aprimoramento, aperfeiçoamento, e até pelo espanto das clientes?

– Dan, preste atenção.

– Estou escutando. Eu consigo desligar o forno. Eu vou me lembrar. Quando é?

– Aí é que está o negócio. É na mesma noite do seu baile.

– Ah! Mas tudo bem.

– Mas já cronometrei tudo. Posso colocar o bolo no forno para ficar pronto à meia-noite. Então, contanto que você chegue em casa até a meia-noite, tudo dará certo.

– Sem problemas.

– Se der, também já estarei em casa a essa hora, mas depende do que acontecer.

– Eu entendo. – Mas, na verdade, não entendo não. É ela que está fazendo o grande favor para Ali, então não pode ir para casa quando for melhor para ela? Minha mãe me abraça. Howard abana o rabo, batendo-o com tudo no tapete. Geralmente ele pula e late quando rola um abraço. Minha mãe percebe.

– Está cansado, cachorrinho?

Bem que eu queria contar para ela o que está acontecendo com Howard, mas a última coisa de que ela precisa agora é de uma preocupação nova justo quando parece que o céu está se abrindo.

Faço um carinho na orelha de Howard enquanto minha mãe põe a comida na mesa. O jantar de hoje é um dos meus pratos favoritos: pilhas de legumes assados com molho pesto feito em casa. E tem torta de farofa com maçã de sobremesa.

Quando levo Howard lá para fora para fazer xixi antes de ir dormir, Oliver está chegando em casa – e não vem sozinho.

– E aí, cara? Essa é Em. Em, esse é Dan.

– Oi.

Em parece tão legal e antenada que fico até assustado. Ela se aproxima e pega um tufo do meu cabelo.

– Ahã! Sim, acho que a gente pode resolver essa situação.

Fico feliz ao perceber que Oliver deve ter falado com Em sobre mim.

– A casa ainda está de pé? Nenhum motim?

– Está tudo bem. Só uma amiga minha passou algumas horas ali antes de ir para Sydney.

– Tudo bem. Beleza, a gente se vê.

– Boa noite!

• • •

Eu me sento nos degraus no quintal esperando Howard escolher um local adequado para fazer xixi – é um ritual e tanto –, e então ouço a porta se abrindo na casa ao lado e Vivien dizendo um "não" muito decidido.

– Mas eu nem vou sair de casa – Estelle diz.

– Ih, pode economizar saliva. Janie não pode vir aqui, nem pensar. O castigo se aplica a todas as atividades sociais, aqui ou em qualquer outro lugar.

Se a raiva e o volume querem dizer alguma coisa, então elas estão discutindo já há algum tempo.

– A gente já vai perder o baile – Estelle tenta.

– Vocês terão outros bailes na escola.

– Mas e se eu morrer antes? Então eu nunca vou ter participado de um baile de verdade. Na minha vida inteira.

– Pode parar com o drama.

– Então eu vou ficar sozinha, sem ninguém para me confortar da perda trágica do único baile da minha vida. E você vai ficar feliz com isso.

– Perfeitamente. E seu pai estará aqui. Você não ficará sozinha.

– Então tá!

Ela bate a porta. Vivien dá um suspiro alto, que soa como se ela estivesse fumando.

– Filho ingrato é pior que mordida de serpente[4], ou alguma coisa assim – ela diz para a noite.

• • •

Não fico surpreso ao ouvir a porta do alçapão do sótão se abrir de leve pouco depois.

– Dim-dom! Você está ocupado?

Entro no armário.

– Não, pode descer.

Eu pensava que Estelle estaria nervosa, mas pelo jeito ela conhece sua mãe melhor que eu. Ela espera perder algumas batalhas, porém tudo faz parte da campanha para vencer a mãe pelo

....

4. Frase atribuída a William Shakespeare. (N.T.)

cansaço. Ela tem certeza de que a sua mãe e a de Janie cairão de exaustão até a noite do baile.

– Principalmente se eu tirar um A ou A+ em alguma coisa nos próximos dias, e encher a casa de Yo-Yo Ma.

– Rapper?

– Violoncelista.

Ela está linda, aninhada na minha cama ao lado de Howard, o cabelo molhado, usando pijama listrado. Ironicamente, ela seria a pessoa perfeita para falar sobre Estelle. Se eu tivesse coragem, falaria sobre o quase-beijo ou, melhor ainda, tentaria beijar a menina de novo, mas em vez disso começo a contar a ela tudo sobre o meu pai. A história inteira – a falência, a homossexualidade, Byron Bay. Ela escuta tudo, sem tirar aquele olhar sério do rosto.

Tudo bem que é pura falta de coragem, mas também um tipo de resposta: eu dizendo "estou aqui, e me mostro para você".

– Interessante – diz ela. – É como se ele estivesse passando pela adolescência agora, em vez de ter feito essas coisas na época dele. Isso porque ele e sua mãe ficaram juntos ainda muito jovens, antes de ele saber quem acabaria sendo de verdade.

– É, acho que sim.

– Ele deve ter amado muito a sua mãe para ter se casado e então ter você, apesar de, lá no fundo, saber que talvez aquilo não fosse a coisa mais certa para ele.

– Por que será que ele demorou tanto?

Ela balança a cabeça.

– Imagina como seria difícil. Anos antes, você aterrissa no planeta homem-casado-com-filho. E então você tem de virar para o mundo todo e dizer, olha só, gente, na verdade, fiz uma curva errada no caminho, eu não queria ter vindo parar aqui, eu deveria ter ido para lá.

– Mas ele devia saber havia mais tempo.

– Talvez, mas vocês já eram uma família. E, pelo jeito, uma família feliz.

– Verdade.

É um alívio lembrar que isso ainda é verdade.

– Os anos foram passando, e ele provavelmente não queria magoar vocês. E então, quando tudo explodiu, talvez ele tenha pensado "pula, é agora ou nunca". – Ela sabe tudo. Será que todas as meninas são psicólogas por natureza? Tudo o que ela diz deixa meu fardo mais leve.

Quando lhe conto sobre o presente de aniversário que ainda não abri, ela tem uma teoria até para isso. No começo, não abri porque estava com raiva. Foi simplesmente para não dar o gostinho a ele, para rejeitá-lo. Mas, quanto mais tempo deixo aquele presente embrulhado, mais ele simboliza. Então, embrulhada ali, com o que quer que exista lá dentro, está também a esperança de que magicamente – e muito improvável e impossivelmente – meu pai possa me dar algo que faça tudo voltar ao normal. Enquanto o presente estiver fechado, a esperança estará viva.

Não estou de brincadeira; ela poderia ganhar dinheiro com isso.

Capítulo 26

O tempo passa rápido demais, e faltam só cinco dias para o baile, e então quatro, três – tudo parece estar organizado – e então só faltam dois dias.

E eis que acontecem duas coisas.

A primeira é que o pessoal fica doido para comprar os convites. Todo mundo que ainda não se decidira, ou que estava esnobando o baile ou achando caro demais, de repente se resolve. Como uma mensagem invisível recebida pelo rebanho, ir ao baile é a coisa mais aceitável a fazer.

Pode ter a ver com a Corpos Podres, cuja reputação se firmou com base em shows decentes que rolaram numas festas esses dias.

O que torna a segunda coisa que acontece dois dias antes do baile ainda pior. E é tudo culpa minha.

Eu consigo dar um encontrão sem querer, no meu estilo clássico de fazer uma curva correndo, com o guitarrista principal. E pelo jeito ele fica irritado. Muito. O cara se ama.

Quando peço desculpas, ele me xinga berrando, e então falo para ele se acalmar, e ele diz "Isso aqui vai te deixar calminho" e tenta me acertar um soco.

Como fã dedicado que sou de evitar dores em geral, consigo me esquivar num ataque de puro medo, e o soco acaba pegando na porta do armário de metal. Caio do pedestal de aluno-em-preendedor-inesperadamente-popular num único grito de dor.

Jayzo recebe a ligação na aula de inglês.

– Agora você conseguiu ferrar com tudo mesmo, seu idiota – diz ele para mim. – Você quebrou a porra do meta-sei-lá-o-quê dele.

– Metacarpo? – Lou pergunta.

– É, isso aí – ele responde.

– Um desses ossos – diz Lou, apontando para as costas da mão.

– Sem guitarra por um mês – diz Jayzo. Ele está adorando isso. – Não vai rolar mais show.

Uma atmosfera de terror envolve a sala.

– Quer dizer que a gente não vai ter banda para o baile? – Janie pergunta.

– É isso aí. E tudo por causa dele – Jayzo responde.

– Ele tentou dar um soco em *mim* – relembro a todo mundo, numa tentativa ridícula de defesa. Mas ninguém se importa com os detalhes.

Acabo com a festa de todo mundo e recebo olhares perfurantes da sala inteira.

Eu esperava o ódio de Jayzo, mas até meus amigos estão se virando contra mim.

– Eles iam tocar a nossa música – Lou diz.

– A gente não tem uma música – respondo, sem jeito.

– A minha música e do Fred – ela diz. – Obviamente.

– Minha música e do Fred, minha música e do Fred – repito, bem infantil.

– O que foi? Você está com inveja? Você não consegue ficar feliz pela gente? Apresenta nós dois e depois se arrepende?

Penso em tentar me defender dizendo que sou tão egoísta que nem pensei neles.

– Nenhuma das alternativas anteriores – acabo respondendo. – Só não achei que vocês todos iam reagir desse jeito tão adolescente.

Ela olha para mim. E não está nem um pouco impressionada.

– Você está dizendo isso porque está sob pressão. Eu entendo. Mas não se esqueça de ser legal e de quem são os seus amigos – diz e sai andando.

Mas não é cedo demais para os dois terem uma música? Já? Se continuar assim, eles estarão casados e com filhos no ano que vem.

Estelle e Janie me encurralam perto dos armários.

– O lance do baile já não estava difícil o bastante sem você aprontar essa? – Estelle pergunta.

– Foi um acidente.

– Bela hora para um acidente, Dan – diz Janie, enfiando a caneta na fechadura de alguém.

– Mas é capaz de vocês nem conseguirem ir!

Elas me encaram com os olhos arregalados.

– Valeu, estou me sentindo melhor agora – Estelle retruca.

– Mas posso dar um jeito na música – digo, já imaginando como é que vou fazer isso.

– Boa sorte com isso – Janie responde. – Aquele ginásio engole mais o som que o Grand Canyon. No mínimo você precisará de um aparelho de som animal.

Fico pensando no rádio grande de plástico que tenho em casa. Era de Adelaide. Um dos primeiros modelos com FM e que sofre para pegar AM também.

– O negócio é o clima da festa – explica Estelle. – Todas as meninas esperam chegar lá para ter uma noite inesquecível.

Ela fica meio pensativa; deve estar sonhando com o menino do CD. Dou um suspiro desesperado.

– Olha, estamos irritadas, mas foi você que pisou na bola – Estelle diz.

Se existisse justiça no universo, eu chegaria com tudo com a minha guitarra-modestamente-nunca-mencionada-antes e elas ficariam malucas e insistiriam para eu tocar no baile. E Estelle se apaixonaria por mim e até subiria no palco comigo.

– Dá para não ficar com essa cara olhando para o nada, como se a gente estivesse aborrecendo você? Um pedido de desculpas seria legal.

– É claro que eu sinto muito, mas...

Mas nada. Não vale a pena. Chega de "não foi culpa minha". Agora vou ser obrigado a aguentar.

– O que você quer é o equivalente a mil sessões de comédias românticas sobre bailes de formatura. E nós queremos a versão do diretor – diz Janie, com uma voz calma, tipo "deixe-me explicar". – E com todas as partes boas.

– Incluindo a banda – completa Estelle.

• • •

Na hora do almoço, Dannii vem na minha direção com um batalhão cheio de raiva e começa a lançar os parênteses em mim como se fossem armas.

– Cara, eu não acredito. Aimeudeus, a gente já fez encomendas. Essas coisas não podem ser canceladas – ela diz.

– Tudo bem, o baile não foi cancelado – tento.

Ela revira os olhos para o batalhão, e elas respondem do mesmo jeito.

– Vai ser tão sem graça sem música!

– Eu vou dar um jeito na música.

– É melhor dar um jeito mesmo, ou você é um loser gay total.

E então elas giram todas juntas sobre os sapatos de salto (pretos, pesados e de amarrar) e saem andando.

Ao final do dia, já me fizeram sentir mal de mais de cem maneiras diferentes, contudo ninguém me enche o saco tanto quanto Jayzo. Claro. Ele está adorando essa situação e fazendo questão de dizer que o guitarrista é amigo dele.

Então, depois de falar um monte para mim o dia todo, ele espera até a última aula, de inglês, pega uma caneta bem grossa, segura o meu cabelo e risca o meu rosto. Ele já conseguiu desenhar no meu rosto inteiro antes de eu conseguir pegar a caneta e empurrá-lo para longe. A professora me manda para o banheiro lavar o rosto, mas é pincel atômico, não sai.

Vou para a frente da sala voluntariamente pela segunda vez na vida. Quando os xingamentos e assobios diminuem um pouco, deixo bem claro para todo mundo que vou dar um jeito no baile. E que vou conseguir uma banda tão boa ou melhor do que a que perdemos. E vou conseguir fazer tudo isso até amanhã à noite. Não vou deixar ninguém na mão. Eles deveriam confiar em mim. Acreditar em mim. O baile ainda acontecerá.

Vou andando sozinho para casa, pensando. Meus problemas são como ondas – assim que um termina, lá vem outro tentando me derrubar. Primeiro eu ligo para umas agências especializadas. Três ligações depois, fica óbvio que até as bandas de cover mais patéticas estão muito além do nosso orçamento. A única solução são as jukeboxes. Essas a gente consegue para alugar, mas a seleção de músicas é uma porcaria – e a qualidade do som também. Nessa altura, também não dá para ficar escolhendo muito. Faço mais algumas ligações. Apesar de não me sentir 100% confortável sendo obrigado a ficar com a segunda melhor opção, as coisas pioram quando descubro que a jukebox não está disponível para a noite do baile. Deve ser época de festa, sei lá. A única coisa que consigo arranjar e que está dentro do orçamento é uma que vem com uma coleção de músicas da Galinha Pintadinha. Não vai rolar para essa galera de 15 anos. Agora já são cinco e meia da tarde, o comércio está fechando, estou falando com secretárias eletrônicas e estou morto. Não consigo nada. É bem provável que eu seja linchado às oito e meia da manhã de amanhã.

Talvez minha mãe tenha uma solução, algo como me mandar para outra escola, ou me colocar num serviço de proteção a testemunhas.

Mas ela também está com problemas novos. E tantos que ela nem pisca ao me ver com a cara toda rabiscada. Ela precisa de uma coroa. No dente, não na cabeça. E vai custar bem caro. A notícia a deixa totalmente desorientada e arrasada. Todo o trabalho para equilibrar as contas e as dívidas está indo por água abaixo.

– Sabe o que dá vontade de fazer? Pegar uma pedra pontuda e um martelo e arrancar esse maldito dente como Tom Hanks fez naquele filme quando estava na ilha.

– Ele usou uma lâmina de patins para gelo e uma pedra – digo.

– Então é isso mesmo!

A ideia é tão maluca que caímos na risada. Mas vejo que ela está preocupada de verdade e provavelmente nada a fim de ter de lidar com uma sessão de "ajudar o filho adolescente a dar um jeito nas consequências de seus próprios atos idiotas". Fico aliviado quando o telefone toca e é Oliver dizendo que posso ir lá para a casa dele cortar o cabelo.

• • •

Quando começo a explicar por que meu rosto está todo riscado, falo sem querer sobre a pisada de bola fenomenal e como tentei consertar a situação.

Eles ouvem com a maior paciência enquanto Em ataca meu cabelo de um jeito meio maluco, porém muito confiante. Ela escolhe um tufo de cabelo, dá uma torcida nele e o corta sem nenhuma ordem aparente, e então escolhe outro.

– *Voilà*! – diz ela, soltando a tesoura quando acho que ela ainda está na metade do corte. Olho para o espelho. Meu cabelo está uma bagunça total, com uns pedaços mais compridos e outros mais curtos. Mas sou obrigado a improvisar com os dois rostos sorridentes à minha frente e agradeço.

– Não falei que ela era boa? – pergunta Oliver.

– É, falou mesmo.

– Nunca, nunca, nunca penteie o cabelo – Em diz. – Nunca. – Ela me dá um tubo de gel. – Esfrega um pouco disso no cabelo depois de lavar. Mas não lave muito o cabelo também.

Faço que sim com a cabeça como se estivesse entendendo o que ela diz e tento me lembrar de perguntar a Estelle sobre isso.

– E quanto ao baile – ela diz –, de repente eu posso tocar.

Quase caio do banquinho. Será que minha vida está prestes a ser salva?

– Onde vai ser? – ela pergunta.

– No ginásio da escola. Mas é amanhã à noite. Você tem certeza?

– Não tenho nada marcado até o próximo fim de semana.

Por causa de Oliver, sei que Em é a famosa DJ Pony. Tem pôsteres dos shows dela pela cidade inteira.

Quando menciono a grana que a gente tem para pagar a banda, ela dá risada.

– Tudo bem. A gente usa para alugar os alto-falantes.

– Mas e o seu cachê?

– Ah, sabe como é, você é amigo do Oliver... vamos deixar por isso mesmo.

Meu rosto deve ser o retrato perfeito de quem não está acreditando.

– Não se preocupe – ela diz –, não vou dar o som, vou só tocar uma das minhas playlists. Para todo mundo dançar. E talvez levar umas luzes também. Tubos fluorescentes em caixas de arame não têm nada a ver comigo.

Olho para os dois, sem conseguir entender de onde veio essa sorte toda. Oliver é como um milagre – um tipo híbrido de irmão mais velho legal e fada madrinha-guru de estilo.

– E não se preocupe com o rosto rabiscado – Em diz quando vou embora. – Ficou uma coisa meio guerreiro urbano. Fofo.

• • •

Depois tento esfregar de novo o meu rosto, e nada de a tinta sair. Parece tatuagem.

De volta ao meu quarto, ouço alguém batendo lá de cima e Estelle desce pela escadinha do armário. Ela trouxe removedor de maquiagem.

– Sinto muito por hoje – diz ela. – Eu deveria tê-lo apoiado. Ou seria ter apoiado você?

– Tanto faz.

Ela está passando o produto no meu rosto. Esse negócio está dissolvendo a minha concentração, mas aparentemente não tem efeito algum sobre a tinta. Ela dá um passo para trás, confusa.

– Mas isso tira até maquiagem de teatro. – Ela para de repente, olhando para mim. – O seu cabelo! Que demais! Como é que não percebi antes? Você está ficando mais ajeitado desde o começo das aulas.

– Valeu. E consegui música para o baile.

– Que máximo! Quem?

– A DJ Pony.

– O quê? Como assim?

– Ela é a namorada do Oliver.

Ela ainda está de queixo caído.

– Eu sou vizinha da DJ Pony? Eu? Ela está lá? Tipo agora?

Faço que sim com a cabeça.

– Mas onde a gente vai arrumar o dinheiro para isso?

– Ela vai fazer como um favor, com a grana que a gente tem.

– Mas que demais! Eu nem queria pensar em amanhã de manhã.

– Nem eu. Eles iam me matar.

Ela passa o algodão de novo no meu rosto.

– Não sei por que não está dando certo.

Está dando certo para mim.

Ficamos ali por um segundo que se estica por mais tempo, olhando um para o outro. É estranho dizer isso, mas é como aquele momento do "quem vai pular primeiro?" à borda de uma piscina. Nós dois ficamos com vergonha desta vez, falando de qualquer coisa enquanto Estelle vai até a janela.

Alívio e decepção, de novo. Queria tanto saber o que estou fazendo.

– Então, a árvore – diz ela.

– A gente ainda tem de descobrir como descer pela árvore – comento.

Abro a janela e a gente dá uma olhada nela. Como em todas as árvores, os galhos ficam mais finos quanto mais se afastam do tronco. Então, apesar de eles arranharem a minha janela, são os galhos mais fininhos, e não aqueles que aguentariam nosso peso.

– Eu estava pensando: e se amarrarmos uma corda na minha cama e no tronco da árvore, para ter alguma coisa nos segurando até chegarmos aos galhos mais fortes?

– E a árvore é bem alta, né? – Estelle pergunta, com quase metade do corpo para fora da janela.

– Era disso que eu estava falando.

– Hum, entendi. Mas esse lance da corda pode dar certo. Você tem corda?

– Acho que eles vendem na loja da instituição de caridade. Passo lá depois da aula.

– E eu ainda preciso arranjar alguma coisa para vestir – diz ela, apontando para o sótão.

– Os seus pais já deixaram Janie vir dormir na sua casa?

– Ainda não. – Ela rói a unha do dedinho da mão esquerda, distraída. – Na verdade, não mesmo.

– Você iria sem Janie?

– Nem sonhando.

– A sua mãe está dando algum sinal de que vai ceder?

– Não dá para saber. Está sendo mais difícil do que eu esperava. Acho que vou ter de tentar convencer meu pai também. Vou arrumar umas roupas para você também, tá? – Ela bagunça o meu cabelo. – Se tiver alguma coisa legal para você lá em cima.

Não consigo dormir. E não consigo decidir se quero que Estelle consiga ir ao baile ou não. Quando penso nela dançando com aquele menino do CD, que não vale nada, meus dentes rangem de raiva. Se isso é amor, então machuca. Dor no coração e na mandíbula. A outra dor é mais fácil de lidar.

Capítulo 27

– Nós esperamos que vocês se comportem legalmente e com responsabilidade. Nada de álcool. E lembrem-se: se vocês não se comportarem, vão ter de arcar com as consequências. Para começar, não haverá baile do nono ano no ano que vem...

Será que Pittney não se dá conta de que ninguém está ligando para o que acontecerá no ano que vem? Ninguém nem piscaria se os alunos do oitavo ano fossem varridos da face da Terra por um ataque extraterrestre na manhã seguinte. Se a gente conseguisse ver balões de pensamento sobre a cabeça dessa galera, saberia que agora o pessoal só consegue pensar em dançar, beber e ficar com alguém. Alguns estão mais focados em substâncias mais ilícitas que o álcool, e outros não têm nada além de penteados e maquiagem na cabeça neste momento. Ninguém está dando a mínima para o sermão de Pittney.

Meus olhos ainda estão se ajustando à cor berrante do spray bronzeador das parênteses intercambiáveis, que estão todas disfarçando para usar o celular na aula, confirmando os horários das limusines e fazendo os ajustes finais para as entregas. A única pessoa que vejo que está prestando um mínimo de atenção é Deeks, que está sentado meio de lado e imaginando Pittney bem no meio de um alvo e está acabando com a raça dele.

– E lembrem-se: comportem-se de acordo com a idade de vocês, turma! Não quero ver nenhum aluno do nono ano se agarrando como uma lapa!

– O que é lapa? – pergunta Billy, um dos caras que atacam os outros com canetinha, realmente confuso.

– É um molusco marinho gastrópode que vive agarrado a superfícies – responde Pittney.

Ele olha para o mar de rostos inexpressivos e mortos de tédio.

– Estou falando de pegar alguém, de ficar se agarrando, de dar um amasso – ele tenta.

Como resposta, a gente ouve barulhos meio roucos de aprovação e várias pessoas gritando coisas como "Ah, aí sim!", ou "Aê, Pit Bull!", "Camisinha de graça na porta!".

Ele desiste.

– Lembrem seus pais de que o horário para buscar vocês é à meia-noite em ponto. Não queremos ver ninguém se transformando em abóbora.

– Mas do que ele está falando agora? – Billy pergunta ao moleque ao lado.

Jayzo levanta a voz, lançando um olhar venenoso para mim.

– E o que Cereill conseguiu fazer com o lance da música?

Fico de pé, seguro no salva-vidas que Oliver jogou para mim.

– Quem vai tocar é a DJ Pony.

A galera fica maluca. Pelo menos metade da sala sabe quem ela é. A outra metade só queria gritar mesmo. Todo mundo está impaciente e faz tempo que não ouço gente comemorar tanto – acho que nunca mesmo. Quando eles se acalmam, Jayzo diz:

– Falou. Vai sonhando.

Estelle se vira para olhar para ele.

– É verdade.

O sinal toca como uma sirene, e Pittney diz:

– Por favor, acalmem-se. Tá bom, a aula acabou.

E todo mundo sai da sala como num estouro de boiada enquanto Jayzo me encara com os olhos arregalados e com um carregamento extra de bombas de ódio.

Ninguém consegue se concentrar na aula hoje. Em e Oliver e uns caras mais técnicos vestidos de preto estão instalando os alto-falantes e luzes no ginásio, então de tempos em tempos a gente ouve uma palhinha da música enquanto eles testam tudo.

As parênteses intercambiáveis estão ali também, ticando itens em pranchetas enquanto as vans chegam com as encomendas.

Um monte de meninas vai embora mais cedo para ir ao dentista ou ao médico (cabeleireiro) à tarde.

Nesse clima de empolgação, Estelle e Janie estão chegando ao limite porque ainda não conseguiram convencer os pais a deixar uma dormir na casa da outra – o primeiro passo essencial para a grande fuga.

Agora elas têm um plano de última hora que eu bem desejaria que elas tivessem inventado: falar para a mãe de Janie que os pais de Estelle deixaram e simplesmente esperar que ela aceite e não verifique se é mesmo verdade.

– Olha só: vou sair de casa com uma cara triste, carregando os livros da escola, sem vestido para o baile e de castigo por causa da viagem para Sydney. Até parece que eu me arriscaria, né?

– Mas você está se arriscando – digo.

– Mas ela nem sonha que eu faria uma coisa dessas.

Por um milagre, pode ser que dê certo, mas elas estão tão desesperadas que tentarão qualquer coisa. E, ainda sem saber se ela conseguirá ir ao baile, meu sangue já está fervendo ao pensar em Estelle com o cara que ela vai levar. Dou uma olhada no pátio, procurando o tal menino do CD. Provavelmente ele está no décimo ano. Ou até no 11º. Provavelmente eles irão se beijar, e eu vou ver, e então vou ficar com vontade de bater nele, e, se eu fizer isso, Estelle ficará com vontade de bater em mim. Não estou muito animado para esse baile.

– Dan, tudo bem? Você está passando mal? – Estelle pergunta ao final do dia na escola.

Sofrendo de mal de amor, passando mal por causa do meu coração, passando mal de desejo, de tanto me sentir confuso, enciumado e desesperançado.

– Tudo bem – minto. – Mas vou ver se arranjo a corda. Nunca se sabe.

• • •

É claro que a Sra. Nelson tem corda. Aliás, o que é que ela não tem naquela loja? Compro um pouco de corda e também uma escada de corda, que ela diz que todo quarto de sobrado deveria ter em caso de incêndio. Então vejo os sapatos. Não sei nada sobre roupa de menina, mas eles conseguem chamar até a minha atenção.

– Esses aqui são novos?

– Chegaram hoje. Nunca foram usados. – Ela vira o sapato de um lado para o outro, admirando-o de todos os ângulos.

Os leitores de revista se juntam num corinho de admiração.

– Sapatos de fada.

– Sapatos de princesa.

– Sapatos de Cinderela.

Eles são verde-pistache claro e decorados com contas que formam flores e folhas. Para mim, eles são a cara de Estelle, e, apesar de eu não fazer a menor ideia do número que ela usa, compro os sapatos para ela. Dez dólares ao todo, incluindo a corda e a escada de corda. Fico pensando se a Sra. Nelson fez um preço especial para mim porque eu trabalhava lá, mas então me lembro que parece que todo mundo consegue um preço especial.

• • •

Prendo a escada de corda entre a minha janela e o tronco da árvore. Parece fácil, mas não é. É bem simples amarrar a ponta da escada ao tronco, mas demora uma década, e sou obrigado a usar uma pedra para fazer peso e conseguir jogar a outra ponta pela janela do meu quarto. Lá dentro, eu arrasto o estrado de ferro para perto da janela e amarro a ponta da escada com força à sua base.

Então, subo na árvore de novo para prender uma corda separada a mais ou menos um metro tronco acima, deixando as pontas soltas – assim a gente pode segurar nelas para se equilibrar. Preciso colocar um peso nas pontas da corda também, porque quem for primeiro vai ter que jogar as pontas de volta para o próximo. Ainda é bem capaz de a gente quebrar o pescoço fazendo isso, mas experimento algumas vezes, tomando cuidado para não olhar para baixo, e ajusto tudo para deixar o esquema o mais seguro possível para Estelle. E Janie.

Não vou precisar usar isso. Eu posso ir ao baile, então tenho permissão para usar a escada. Depois de descer pela segunda vez, volto para o meu quarto e vejo que Estelle deixou umas roupas para mim, para hoje à noite.

Ela escolheu um smoking com lapelas de cetim e uma camisa listrada sem gola. Visto o paletó e olho para o espelho na porta do guarda-roupa. Até que veste bem. Bem demais. As calças são do comprimento certo e meio largas, mas ficam boas quando coloco um cinto.

Ouço uma batida impaciente à minha porta. O que é isso? Minha mãe nunca vem ao meu quarto. Ela diz que é melhor não ver a bagunça – tudo em nome de manter o equilíbrio.

– O que você acha? Esse ou esse? – Ela está usando uma combinação e segurando dois cabides.

– Sei que não é a sua área, mas não consigo me decidir. – Ela ergue os vestidos à minha frente de novo. Se ela decidir entrar no meu quarto, não vai ser fácil explicar por que tem uma escada amarrada entre a minha janela e a árvore.

– Por que você não experimenta os dois? Aí eu vou lá olhar.

Vamos para o quarto dela. Ela coloca o primeiro vestido. Fica bonito. Então ela experimenta o outro. Fica bonito também. Que difícil. São as roupas da nossa ex-vida, chiques e de marca. Acabo percebendo que faz um tempão que ela não usa essas coisas. Estou acostumado a ver a minha mãe de jeans e moletom – para mim, é quando ela mais se parece consigo mesma. Conto isso, e ela dá risada.

– Pois é, achei o meu nível, mas não posso usar jeans hoje à noite.

Jogo um cara ou coroa imaginário.

– Que tal o roxo, então?

– Tá, maravilha.

Noto os brincos dela – diamantes do tamanho de ervilhas.

– São de Adelaide – diz ela. – Mary acha melhor a gente compartilhar as joias.

– Ah é? Então quer dizer que você pode vender algumas?

Falo isso sem pensar e juro que não estou pensando no dinheiro (para variar), mas isso acaba trazendo à tona uma "conversa séria", reconhecível pelo tom de voz baixo e uma cara meio feia da minha mãe.

– Dan, sabe o que aprendi de verdade com tudo isso?

É uma pergunta retórica, então espero pacientemente, rezando para a resposta ser curta.

– O importante não é aquilo que se tem, mas o que se faz. É claro que nós já sabemos disso em teoria, mas tivemos a sorte, sim, sorte, de poder testar essa teoria. E é verdade mesmo.

Talvez para ela. Eu bem que queria contar para ela o quanto preciso de dinheiro para Howard (tão sem sorte), mas calo a boca.

– Consertei o meu dente hoje e com certeza isso não é nada bom para o nosso orçamento, mas nós estamos felizes, fazendo alguma coisa, nos preparando para sair à noite, cercados de pessoas generosas. E sabe de uma coisa? Estou redescobrindo quem eu sou e o que quero fazer.

– E o que você quer fazer? Os bolos de casamento não estão dando supercerto.

Ops, falei isso em voz alta. Isso só prolongará a conversa agora.

– Não vou desistir dos bolos, mas adoro fazer umas coisas para o café e ver como as pessoas gostam das minhas receitas. Conversar com elas e fazer parte dessa coisa de comer e conversar e dessa conexão em geral.

Ela finalmente nota o que estou usando.

– Você está lindo, querido. Muito bonito. Mesmo com esses rabiscos no seu rosto.

Ela dá aquele sorriso de mãe com os olhos marejados que antigamente me deixava tão bravo e fazia me sentir sufocado, mas que agora fico aliviado ao ver. É a prova de que ainda é ela no fundo, apesar de tudo.

– E tudo isso foi ótimo para você também, Dan, apesar de não parecer.

Não, ainda parece que fui abandonado pelo meu próprio pai.

– Você é tão independente!

Não mesmo, só faço o que preciso fazer.

– Você já se acostumou à escola nova.

Verdade.

– Você está forte e em boa forma.

Algumas pessoas diriam "trincado".

– E sabe tomar conta de você mesmo e de Howard tão bem.

Se ela soubesse que não estou cuidando de Howard...

– E conseguiu um emprego.

Com um salário de merda.

– Você é um menino totalmente diferente daquele que só ficava enrolado na cama o dia todo quando a gente se mudou para cá.

– Estava frio.

– Estava. Mas a sua cama era como um casulo, e agora você... renasceu.

Então agora eu sou uma mariposa? Isso é uma coisa boa?

– Bom... valeu.

Ela dá uma batidinha na cama como quem diz "sente-se aqui ao meu lado". Um beijinho na bochecha e para por aí, e olha que eu nem tinha aprontado nada. Ela pega e escreve "meia-noite" nas costas da minha mão.

– Estou contando com você para tirar o bolo do forno. E é sério. À meia-noite. Em ponto.

Dou um resmungo.

– Pode parar de se preocupar. Se eu falei que vou fazer isso, então vou mesmo. – Mas, para falar a verdade, eu me esquecera completamente daquela porcaria de bolo.

Ela olha para a minha mão.

– Combina com o seu rosto. – E me dá um beijo na bochecha.

– Você consegue fazer um sanduíche sozinho para o jantar?

– Ahã.

– Pena que Estelle não pode ir ao baile.

– Ahã.

– Ela está triste?

– Não sei.

– Mas eu a vi chegando em casa da escola com Janie.

– Ahã.

– Então pelo menos ela terá companhia.

– Ahã.

– Você fala pelos cotovelos, né?

– Ahã. Quer dizer, não. É melhor eu me arrumar.

– Eu também. Ali vai entrar para tomar um drinque quando vier me buscar.

– E a que horas será isso?

– Daqui a uma hora, mais ou menos.

• • •

Começo a fazer a barba e logo estou amargando a ideia venenosa do cara que Estelle levará ao baile se arrumando para a grande noite. E de Estelle se arrumando também, aqui ao lado, agora mesmo, e, sem dúvida, pensando nesse cara.

Isso me faz ir até Em e lhe pedir para não incluir nenhuma música lenta na playlist. Expliquei um pouco a história para ela entender melhor.

Você provavelmente já percebeu que é um pedido idiota. Em responde com toda a paciência que (a) algumas pessoas vão querer música para dançar juntinho; (b) vai que eu fico com alguém (até parece); (c) se Estelle quiser beijar alguém, ela pode e vou ter de me conformar com isso; (d) se Estelle não consegue ver como eu fiquei gatinho com o meu cabelo novo, ela não me merece (parece que estou me achando, mas foi ela quem disse); e (e) se você for sortudo o bastante para ter a DJ Pony tocando no seu baile de nono ano, é ela quem manda e você tem mais é de agradecer.

Capítulo 28

Minha mãe não para quieta um minuto, indo da cozinha para o banheiro lá em cima e para o quarto dela – pra lá e pra cá no corredor, e pra cima e pra baixo nas escadas. Ela está tirando as camadas do bolo do forno, preparando uns aperitivos para servir com os drinques, arrumando o cabelo e fazendo a maquiagem. Cantando. Bem na única noite da minha vida em que estou tentando fazer arte, ela consegue se transformar em três mulheres. Por que ela está ligando tanto para esse lance de ir nessa festa ridícula com a turma da escola desse cara? Mais uma prova de que ela não sai muito de casa.

Ela bate à minha porta. De novo! Estou tão requisitado esta noite!

– Você não tem de sair daqui a pouco?

– Estou indo – grito de volta. – Não quero chegar lá cedo demais.

Mas ela tem razão. É hora de ir. Estelle e Janie vão chegar aqui a qualquer momento. Na verdade, elas já deveriam estar aqui. Já são sete e quinze. Mais cinco minutos se passam. E mais cinco. Outros cinco se arrastam, e agora elas já estão meia hora atrasadas.

– Cadê essas meninas, Howard?

Ele suspira e se esborracha no chão, olhando para mim como se tudo fosse muito óbvio.

– Não pode ser por causa da maquiagem e do cabelo.

Ele se ajeita de novo e boceja, lambe os beiços algumas vezes e fecha os olhos.

– Você está certo! Por que eu não ligo para ela?

Não tenho mais crédito no meu celular, então vou até o telefone fixo no corredor – é um meio de comunicação antigo com um fone preso por um fio.

– Dan! Você precisa ir, não é? Você precisa estar lá, caso Oliver e Em necessitem de ajuda com alguma coisa – minha mãe diz a caminho do quarto dela.

Estelle atende. Pelo jeito, o pai dela está a fim de ficar jogando conversa fora com as meninas.

– Por que justo hoje à noite? Ele já teve 15 anos para tentar ser sociável! Não se preocupe, vamos falar que precisamos estudar e que nossos planos também incluem uma sessão de depilação – sussurra ela. – Se não funcionar, então não conheço o meu pai. Chegamos em cinco minutos, ou não iremos mais – diz ela, num tom bem dramático.

• • •

Estelle está a meio caminho da escadinha de corda e Janie olhando pelo alçapão quando minha mãe bate à porta e gira a maçaneta.

Não tenho tempo de fechar a porta do armário quando ela entra no quarto. Por nenhum motivo aparente, Howard começa a latir como um maluco, então minha mãe olha para baixo, e não presta atenção no armário, nem na janela. Howard faz a maior festinha para ela e abana o rabo. Como ela fica totalmente entretida em fazer o cachorro parar de pular para que não desfie a sua meia-calça, minha mãe se agacha e dá um passo para trás, e eu então consigo levar nós três para o corredor sem que ela veja as meninas. Essa foi por pouco. É como se Howard soubesse exatamente o que está fazendo.

– Se você não sair agora, vai chegar atrasado demais.

– Já estou indo – digo, descendo as escadas.

• • •

Janie deve ter começado a descer assim que fechei a porta do meu quarto, porque ela já passou da metade da árvore quando chego lá fora. Mas ela não conseguiu mandar as cordas de volta para o quarto e ficou com medo de continuar tentando por causa do barulho da corda batendo contra a parede. Pelo jeito, minha mãe já pôs a cabeça para fora da janela para ver o que estava acontecendo.

Quando chego à árvore, Estelle já está descendo pela escadinha de corda e sem as cordas de segurança. Ela está na metade do caminho, mas congela.

– Dan.

– Oi.

– É capaz de a gente quebrar o pescoço fazendo isso.

– É verdade, por isso fiquei preocupado – digo, pronto para me desculpar.

– Não. Você tinha razão. É capaz mesmo. É capaz de acontecer com a gente.

Ela está paralisada de medo. O problema de descer sem a corda de segurança é que a escada fica muito mais bamba e você tem de ir com mais cuidado – o que envolve olhar para baixo, ou melhor, para o "salto para a morte".

O vento muda de direção, mandando uma rajada por entre os galhos e fazendo a árvore e a escada de corda balançarem. Um olhar de relance para o chão escuro lá embaixo tão longe traz aquela sensação de enjoo quente e gelada que rola bem antes de eu desmaiar. Eu não vou, não posso, a qualquer custo, deixar que isso aconteça.

– Estou tonta – diz Estelle. A ideia absurda de nós dois esborrachados e ensanguentados ao pé da árvore, e tudo para tentar ir ao baile do nono ano, de repente entra em ação.

– Não olhe para baixo – digo com uma voz que soa muito mais calma do que realmente me sinto. – Vou pegar as cordas, e você vai segurar nelas, e então vamos baixar você até o tronco. É fácil daqui. E você já está bem perto.

Ela olha para baixo e para mim, tentando se acalmar.

Começo a cantar uma música baixinho, a primeira que me vem à cabeça: "Wild World". Eles tocam essa música no final do último episódio da primeira temporada da série de TV favorita dela, "Skins", e eu sei porque fucei no diário dela e li que ela assistiu a esse final cinco vezes seguidas.

Ela parece surpresa e um pouco desconfiada (ou é minha imaginação paranoica?) quando ouve a música, mas tenta cantar também; sua voz, engolida pelo medo, não passa de uma sombra fraquinha do que realmente é. Junto as pontas da corda e a jogo para ela. E dá certo. Ela só tem de estender o braço menos de meio metro, e terá as cordas de segurança nas mãos. Começa a chover. Gotas enormes e gordas que fazem o maior barulho ao atingir as folhas.

– Vamos lá, você consegue.

Estelle olha para mim, assustada.

– Não consigo soltar a mão.

– Relaxa. Respire devagar.

– Não estou brincando – ela diz, olhando para a própria mão fechada, sem conseguir entender. – Estou tentando. Não abre.

Eu me estico na direção dela na escada de corda, apoiado sobre a minha barriga, até conseguir alcançar as mãos dela. É como se tocar na corda desfizesse o feitiço. Ela se concentra de novo, pega a corda pelas duas pontas com força e consegue reencontrar o equilíbrio e ficar de pé. Vou voltando aos poucos para o tronco enquanto ela vem em minha direção, segurando-se na corda como se sua vida dependesse disso – e depende mesmo.

Ela pula para um galho e depois para os meus braços. Sã e salva.

Seu coração bate com toda a força contra as minhas costelas enquanto ela respira fundo.

– Isso não foi nada legal – ela diz.

Ela sorri, aliviada mas ainda tremendo, e vai até o chão.

É difícil acreditar como Estelle está linda. Ela escolheu um vestido reto, mas que é meio esvoaçante também, tipo o que um elfo adulto usaria. Não, acho que não existe nada assim, só estou tentando dar uma impressão geral. Na verdade, o vestido mais parece que foi feito para combinar com os sapatos que comprei para ela.

Seu cabelo está brilhante, os olhos também. E os lábios também, aliás. Ela está brilhando.

– E aí, gostou dos nossos vestidos? – pergunta Janie, dando uma voltinha. – Show de horror ou beleza pura?

Para mim, Estelle parece etérea, de outro mundo, elegante, mas eu me contento em dizer "beleza pura", usando esse termo sem exagero pela primeira vez na vida.

Quando ela sorri olhando para mim, quase perco o fôlego.

Tiro os sapatos de cetim do meu bolso e os entrego a ela.

– Comprei isso para você.

– Nossa, Dan, mas que... uau! – ela diz ao ver os sapatos.

– Você não precisa ir com eles. Comprei na loja da instituição de caridade mesmo.

– Não! Você está me tirando? Eu adorei!

Ela se senta e coloca os sapatos.

– Meu tamanho certinho – ela afirma, parecendo feliz de verdade. – Às vezes parece que você sabe demais sobre mim.

Sorria. Mande o rosto não assumir uma expressão de culpado.

As meninas deixam os tênis que usaram para pular a janela no jardim e vamos buscar Uyen.

Quando chegamos à escola, elas já estão definitivamente em clima de festa. Principalmente Estelle, quase tendo um treco de alívio por não ter quebrado o pescoço.

Eu, por outro lado, estou mais deprimido a cada minuto que passa. Finalmente estamos aqui, e isso quer dizer que o cara que Estelle convidou logo chegará também.

A entrada de cimento está colorida como nunca enquanto as meninas passam com seus sapatos de salto. Pais dizem aos filhos para se comportarem ou para se divertirem, e para estarem ali na hora de buscá-los. As meninas saem do carro berrando, tentando proteger os penteados da chuva. A música está bombando. Fico de olho em cada cara que chega, com uma hostilidade que piora a cada minuto, tentando ver se ele merece ir ao baile com Estelle. Nenhum deles merece. Então Phyllis aparece – a amiga de Estelle da aula de artes, na qual ela faz trabalho voluntário. Para de chover como se alguém tivesse virado uma chavinha, e todo mundo entra no ginásio.

– Você não vai esperar o seu convidado? – pergunto.

– Phyl é minha convidada hoje – diz Estelle, dando o braço para a amiga.

– Mas eu achava que você tivesse convidado um cara.

– Mas por quê? – ela pergunta, de bom humor, e sai andando sem esperar uma resposta.

Como é que é?

Fred e Lou chegam a tempo de ver Estelle entrar com Phyllis. Lou me lança um olhar penetrante.

– Então, uma oportunidade gigante de aproveitar o dia finalmente aparece – diz ela.

– Vê se não pisa na bola, cara – completa Fred, para ajudar(?).

– Vocês dois estão bem estilosos – digo, numa tentativa ridícula de desviar a atenção do assunto.

– Obrigada – Lou agradece.

– Isso aqui já foi do Gazela um dia – diz Fred, apontando para o próprio terno com uma ênfase trágica.

– Mas você acha que…

– Pois é, pode ser que um dia eu também vire um cara gordo de meia-idade.

Lou olha para nós dois sem conseguir acreditar.

– Meia-idade? Meia-idade? Nós temos 15 anos. Quem se importa com a meia-idade? – ela diz, enquanto arrasta Fred lá para dentro.

Meu coração começa a se encher de hélio quando me permito saborear o "mas por quê?" de Estelle. E por que eu achava isso? Então, como eu não poderia ter pensado nisso?

Quem quer que seja que escreveu o manual das mulheres, bem que podia me mandar uma cópia, e com um glossário completo. Volto para o "gosto muito de você", onde já passei um bom tempo recentemente, e só tenho certeza de uma coisa: preciso beijar Estelle esta noite. Ou morrer tentando. Eu me lembro do bolo. Esse beijo tem de rolar até 20 para a meia-noite. É errado marcar horário para um beijo, ainda mais por causa de uma encomenda de bolo. Espero que não dê azar.

Em transformou o ginásio num mundo totalmente diferente. Uma máquina de fumaça transformou o chão numa nuvem passageira. As luzes só iluminam do chão até a nossa altura, fazendo o teto desaparecer. Essa neblina flutuante está cheia de cores que derretem, roxos e azuis que viram rosa e vermelhos e que então ficam laranja, dourado, verde e turquesa. As cores brilham, se dissolvem, e então explodem com a luz estroboscópica. É demais.

Mesas montadas em cavaletes formam o "bar", onde as intercambiáveis estão servindo as bebidas. Eu dou uma olhada para ver se rola alguma comida, mas não vejo nada. Pergunto a Em se ela viu onde estão servindo a comida.

– Acho que não era a prioridade nº 1 delas – ela responde.

Logo fica bem claro que todo o orçamento para comes e bebes foi torrado em vodca. As intercambiáveis estão ocupadas dizendo a todo mundo que "o de limão é um só, o de laranja é duplo e o de morango é triplo". Doses. Elas passaram a tarde toda esvaziando o conteúdo de todas as garrafas de refrigerante e substituindo o que jogaram fora com vodca. A galera mal pode acreditar nessa sorte toda. O bar está lotado.

– Tem comida? – pergunto. – Não estou com fome, mas só quero garantir que tem alguma coisa por perto para absorver o álcool.

– Tem, mas, tipo, bem mais tarde. Todo mundo tem que ficar ligadão primeiro, fofo – diz Dannii.

– E o pessoal que não está a fim de beber? – pergunto.

– Ah, naquela ponta ali estão as bebidas para os losers – diz, apontando a unha postiça para a outra ponta do bar.

Fico pensando se posso acabar sendo expulso da escola por causa disso. Eu só pedi para as intercambiáveis tomarem conta dos comes e bebes. Então será que essa bomba explodiria na minha mão? Provavelmente. Agora é tarde, não posso fazer mais nada. Impedir a galera de beber seria uma missão suicida. Não, é tão inexorável quanto um vulcão em erupção. Estou prestes a ser o responsável por uma sessão ilegal da pesada de bebedeira por menores de idade. Alguém pode engasgar com o próprio vômito e morrer, pode rolar um violento arrastão, bebês podem ser concebidos, e será tudo culpa minha. O mínimo que mereço é ser expulso da escola. Mas o que é que vou fazer? Talvez eles tenham aulas no reformatório para meninos? Será que eu seria preso ou apareceria só para as aulas mesmo, talvez com uma tornozeleira eletrônica para eles saberem onde estou?

Olho ao redor para ver se consigo achar Fred e Lou, sempre calmos em situações de crise. Infelizmente, eles já estão se agarrando como as lapas de Pittney na pista de dança, e, pelo jeito, nem um tsunami separa aqueles dois.

Então conto a Oliver o lance dos drinques. Com toda a calma do mundo, ele pega o telefone e encomenda alguns engradados de garrafas de água. Ele me diz para espalhar para o pessoal que a água está cheia de vodca também, para garantir que todo mundo beba e, com alguma sorte, diluir um pouco essa onda de álcool.

Estelle e Janie estão dançando com Phyllis e Uyen e um monte de outras meninas que fizeram o ensino fundamental juntas. Aviso a todas sobre a quantidade de vodca nas bebidas e que Estelle e Janie não podem enfiar o pé na jaca esta noite, já que oficialmente elas não foram ao baile e ainda têm de voltar para o quarto de Estelle subindo a escadinha, e sem dar um pio, a não ser que queiram ficar de castigo pelo resto da vida.

Estelle pega meu braço e grita acima do volume da música:

– Pare de ser tão responsável!

– Não consigo! – berro de volta.

Lá fora, fico esperando a entrega da água e me preocupo com o beijo. Será que Estelle beijaria um cara que ela considera "responsável"? Essa palavra não é um tipo de antiafrodisíaco? E se ela conseguisse superar isso e pensar em me beijar… Como? Quando? Onde? Peraí. Volta. Como! Como vou resolver o lance do "como"? Eu não sei beijar. E é um caso clássico de "aprender na prática". Fred e Lou não parecem ter enfrentado qualquer tipo de problema. Não pode ser tão difícil assim, né? E aqui está o ponto crucial do problema: eu não tenho a menor ideia de quão difícil pode ser – ou não.

Ah, se eu conseguisse tirar o "como" da minha cabeça por um minuto, mas o "quando" também é crucial. Se acontecer daqui a pouco, então existe potencial para algumas horas de mais beijo, isso se tudo der certo. E isso já é motivo o bastante para agir de maneira mais decidida. Mas é aí que entra o "onde", que tem de ser encarado. E se eu tentar chegar nela na pista e for rejeitado ou, pior, fizer tudo de um jeito tão ridículo que Estelle caia na risada, ou fique com enjoo ou sei lá o quê, e a classe inteira testemunhar minha dor e/ou humilhação?

Da minha vida antiga, lembro que a palavra em latim para "beijo", *osculum,* meio que soa como beijar de verdade. Eu a digo em voz alta algumas vezes. Os lábios fazem um biquinho, mas não muito, rola um pouco de movimento na língua, mas não demais. Quem disse que o latim é uma língua morta? Decido tentar em câmera lenta e, é claro, um *osculum* silencioso tem de ser um bom começo.

Nem sinal do caminhão da água. Que saco, eu poderia estar aproveitando o dia – ou a noite, no caso. "Como" é *osculum.* "Quando" é agora. Agora mesmo. E "onde" é onde quer que Estelle esteja quando eu voltar lá para dentro. Meu coração está batendo como se fosse explodir. Mas agora é tarde demais para voltar atrás. A adrenalina está bombando. Fico pensando no bilhete dela: "Gosto muito de você". Eu consigo fazer isso. Eu consigo.

A multidão quente e dançante parece impenetrável. A música envolve as batidas do meu coração. Será que consigo mesmo fazer isso? Então vejo Estelle, como se tivesse visão ninja. Vou até ela, pego a sua mão, puxo-a para perto de mim e beijo Estelle. Simplesmente. O *osculum* é um lugar bem decente para começar, e Estelle toma as rédeas dali para a frente. Ela coloca as mãos nos meus ombros, me puxa para mais perto e sussurra:

– Até que enfim.

E, depois de uns leves encontrões de nariz, estou afundando com tudo na maciez daquele beijo, envolvido e perdido. Depois de um minuto curto demais nesse lugar maravilhoso, Em interrompe a gente.

– Desculpe acabar com a festa, gente, mas tem de ter alguém lá fora quando a água chegar.

Tenho de recuperar todo o meu autocontrole para não berrar "deixa a gente em paz!". Tenho de me lembrar de que devo minha vida a Em. Tenho de imaginar o que teria sido dessa noite sem o trabalho incrível que ela fez.

– Beleza – respondo.

– Eu vou com você – diz Estelle. Mas Phyllis e Uyen chegam, prontinhas para levá-la de volta à pista.

– Volto logo – digo. – Você sabe que ficar com frio a deixa triste.

– Eu sei – concorda ela. – Mas... – Ela está tentando descobrir como é que eu sei. (Está na lista das dez coisas que a deixam triste.)

Eu a beijo de novo e me arrasto lá para fora.

Enquanto espero, sinto-me num sonho – a anos-luz do meu estado pré-beijo. Agora sim eu entendo por que as pessoas se beijam. Não é à toa que Fred e Lou estão agarrados daquele jeito.

É impossível ficar ali parado. É como se eu tivesse sido descosturado e então costurado de novo, mas dessa vez como alguém que tem mais a ver comigo. Andando lá fora no ar gelado da primavera, estou quase feliz por estar ali, para ter uma oportunidade de absorver tudo o que acabou de acontecer. Uma coisa grande e feliz se desdobrou no meu peito, provocando um sorriso que não sai mais do meu rosto. Não consigo me lembrar da última vez que senti meu coração tão leve. Ou será que meu coração está cheio? Ou explodindo? Não está doendo, isso com certeza.

Uma van de pizzaria chega e dois caras começam a descarregar pilhas de caixas. Pelo barulho vindo lá de dentro, comida é exatamente o que esse pessoal quer. Em meio aos gritos de comemoração, sinto um arrepio gelado. Pá. É como se eu tivesse construído uma parede bem fina na minha cabeça que começa a cair, revelando uma verdade do tamanho de um outdoor: vou ter de contar a verdade a Estelle.

Tenho de contar a ela sobre os diários – ou tudo que estou sentindo por ela é uma mentira gigante. E não mereço estar com ela.

Pisei na bola ao beijá-la antes de dizer a verdade.

Eu a fiz pensar que sou alguém que ela quis beijar.

Alguma coisa na minha cabeça ainda está tentando reconstruir essa parede. Mas, "se ela não souber, não ficará magoada?". Bela porcaria. Quem é que estou tentando enganar? É claro que ela ficará magoada. E não prometi ser bom, seja lá o que isso for?

Quando a água finalmente chega, assino o recibo, levo tudo lá para dentro e espalho para todo mundo que a água também tem álcool, e nessa altura o prazer de ter beijado Estelle já abriu caminho para a certeza de que, quando eu contar a ela o que fiz, nunca mais vou beijá-la de novo.

A gente se vê e, quando ela chega perto, falo de uma vez:

– Eu li os seus diários.

Ela pergunta ao mesmo tempo:

– Você leu meu diário?

– Li – respondo.

– Mas por que você fez uma coisa dessas? – Ela mal pode acreditar.

– Eu sinto muito. – Essas palavras nunca me pareceram tão inúteis.

– Então, você abriu um e viu que era meu diário, e então fechou? Você só leu alguma coisa de relance?

Ela quer que eu não seja tão mau quanto sou. Ela está me oferecendo a carta da meia verdade para fugir dessa. Pelo jeito, pareço menos terrível do que sou. Por alguma razão, Howard, dentre todas as pessoas da minha vida, vem à minha mente – aquele olhar sério e pensativo que ele me dá com a cabeça virada para o lado. Será que tudo chegou a esse ponto mesmo? Meu árbitro moral é um poodle velhinho?

Aparentemente, sim.

Não posso fazer isso com a gente. Posso sentir meu coração saindo do peito, saindo antes que se machuque de verdade.

– Li todos eles.

O olhar de decepção no rosto dela voa pelo ginásio e bate com o meu coração em direção à saída.

Ela sai andando.

E então se vira de novo para mim.

– Você é... Você *era* o menino do CD.

Eu me sinto:

1) Um lixo.
2) Um idiota.
3) Desprezível.
4) Abandonado.
5) Sofrendo.
6) De coração partido.

Capítulo 29

De zero a um zilhão, e então de volta a zero no espaço de tempo de um baile de escola. A situação não poderia ficar pior. Bom, era o que eu achava. Mas estava errado de novo. Como um pedaço de pizza com Lou e Fred, danço um pouco e tento não olhar para Estelle, que está, obviamente, me evitando. Então são onze horas, e tenho mais 40 minutos pela frente, e então terei de encontrar as meninas e levá-las para casa. Se é que elas virão comigo. É aí que Estelle volta ao meu campo de visão. Ela está dançando com um pedaço de pizza. Janie tenta se desculpar:

– Ela nunca bebe, não sei o que deu nela. A bebida subiu muito rápido.

– Quanto ela bebeu?

– Dois drinques de limão.

– São seis doses.

– A gente tentou pegar os refrigerantes sem vodca, mas estava tudo misturado.

– Mas você não está bêbada.

– Eu não bebi nada. Medo demais para arriscar. E ela também não ia beber nada, mas parece que alguém virou a chavinha de "imbecil" da minha amiga.

Fui eu.

Estelle se aproxima, conversando com a fatia de pizza.

– Idiota – digo, sentindo só carinho e culpa.

– Idiota é vocêêê. E vocêêê não é um cara legal – ela diz.

– Como a gente vai levar você para casa desse jeito? E se a sua mãe voltou mais cedo para casa e você tiver de subir pela árvore? Você já pensou nisso?

– Penseeeeeeei, penseeeeei. Para de se preocupaaaaaar!

– Mas quem é que vai se preocupar se não for eu? – É a história da minha vida.

Então, enquanto ela me pergunta qual é o problema e o que é que eu tenho a ver com isso, ou quem sou para dizer às pessoas o que elas devem fazer, ela cai para a frente.

– Você quer tomar um ar?

– Por quê?

– Porque você está bêbada.

– Tô... não! – diz ela. – Você é um mentiroooso e um espiããão, e eu odeio você.

– Vem – tento.

Ela me dá um empurrão no peito. Jayzo vê o que está acontecendo. É o convite que ele estava esperando. Ele vem até mim e me empurra também.

– Sai de perto dela – diz ele.

– Eu só estou tentando ajudar – digo.

– Não preciso de ninguém tomando conta de mim – protesta Estelle.

Alguém fala para irmos brigar lá fora. Eu não curto briga, mas esse lance com Jayzo foi se acumulando o ano inteiro, e não vou saltar fora. Primeiro vejo se Janie e Phyllis estão cuidando direito de Estelle e vou lá para fora, ouvindo Estelle dizer:

– Acaba com ele!

Não sei com qual de nós dois ela está falando, mas acho que é com Jayzo. E eu mereço mesmo.

Os seguranças do 12º ano seguram o pessoal que vem atrás da gente. E é isso, só nós dois, mano a mano, finalmente.

Por um segundo, espero que o ar frio da noite ajude Jayzo a ficar mais sóbrio, mas até parece. Quando me viro para falar com ele, ele vem com um soco na direção da minha cabeça. Eu me esquivo e o empurro para um banco.

– A gente não tem que brigar – digo.

Ele não concorda. Ele me dá uma cabeçada ao se levantar. Consigo evitar o impacto total, mas ele continua com um empurrão forte no meu peito, que arranca um "uuufff!" de mim, tipo naquelas brigas de histórias em quadrinhos, enquanto caio no chão com tudo.

Ele tenta me chutar no chão, mas só me pega de lado enquanto consigo sair rolando e seguro as pernas dele. Ele cai em cima de mim, e começa a dar soco para tudo que é lado bem de perto, enquanto dou um jeito de sair de debaixo dele. Ele dá um soco com tudo na boca do meu estômago. Eu contraio o músculo tarde demais para evitar uma onda de náusea. Sei que tenho de ficar de pé ou ele levantará e começará a chutar a minha cabeça em alguns segundos. Eu me levanto, quase vomitando, enquanto Jayzo esfrega o pulso.

Fico ali respirando fundo, com a energia da onda de uma mistura de empolgação e medo. Jayzo se levanta devagar, sem tirar os olhos de mim nem por um segundo.

– A gente já pode parar agora? Não quero brigar – digo com muito custo. Sair dessa antes que ele me mate me parece uma alternativa justa.

Ele responde vindo com toda a força para cima de mim, jogando todo o peso do corpo, e vamos para o chão de novo. Meu ombro sofre com o impacto, e uma dor aguda toma conta de mim enquanto me reposiciono para dar o soco mais poderoso que conseguir. Por milagre, o soco aterrissa bem no lugar certo: a mandíbula dele, com um barulho terrível de pele, ossos, vasos sanguíneos e tendões se quebrando rápido demais, e sob pressão demais. Se o rosto dele estiver doendo tanto quanto a minha mão, quase fico com pena do cara. Mas não por muito tempo.

Agora ele está com ódio. E eu estou morrendo de medo. Não sei brigar e sei que não precisaria acontecer muita coisa para eu acabar com um dano cerebral ou o pescoço quebrado.

Nós dois estamos penando para ficar de pé e ficamos cercando um ao outro. Tento me lembrar de qualquer coisa que meu pai tenha me contado na vida sobre brigas. Evite a qualquer custo. Tente conversar primeiro. Mas, se precisar brigar, então você soca assim...

Jayzo é um cara gigante, bem mais pesado que eu. Eu sou um corredor. A minha vantagem é que sou mais rápido e estou sóbrio. Estou cada vez mais convencido de que eu já estaria morto se ele não estivesse bêbado.

– Para que isso? – pergunto, desesperado para ganhar tempo. – Por que a gente está brigando?

– Porque você pediu, idiota – ele responde.

À medida que o diâmetro do nosso círculo aumenta, estou a mil, pronto para atacar, morrendo de vontade de atacar. Eu me posiciono em frente ao banco. Quando Jayzo parte para cima de mim de novo, pulo para o lado, e ele bate o joelho com tudo no banco. Agora ele está rugindo de fúria. Ele vem atrás de mim, tentando me socar na cabeça. Saio do caminho dele e consigo dar um soco bom na barriga dele. Mas isso não o faz parar nem por um segundo. O próximo soco dele me pega direto no lado esquerdo do rosto, que parece se abrir em dois. Ele comete o erro de fazer uma pausa para admirar seu trabalho, baixa a guarda por um momento, e então aproveito. Lanço o peso do meu corpo, e o meu ombro dolorido, e todas as repetições que fiz com os halteres naquele soco. Ele aterrissa com um barulho de osso se quebrando bem no nariz, que começa a verter sangue.

Ele senta no chão, resmungando. Estamos os dois sem ar e cobertos de suor.

– Você está bem? – pergunto.

Um som escapa por entre os lábios cobertos de sangue dele. Não pode ser, pode? É uma risadinha?

– Seu banana; você não pode perguntar para o cara em quem está dando porrada se ele está bem – diz ele. – Você não sabe nada mesmo, né?

– Não. Na verdade, não – respondo.

Tiro a camisa e a passo para ele. Ele faz uma bola com ela e a coloca sob o nariz.

– Eu poderia até continuar, mas estou sangrando muito – afirma ele.

– Tudo bem – respondo. Estou vivo, e isso parece um milagre.

– Você teve sorte de me dar aquele soco, seu loser nerd – diz ele. – Você não sabe nada de briga.

– Eu sei.

Ficamos sentados ali, sangrando e doloridos, e recuperamos o fôlego e conversamos enquanto a música bomba lá dentro e começa a chover de novo.

– Qual é o seu problema comigo? – falo de uma vez.

– Você é tão inteligente! Deve saber.

– Você não gosta do fato de eu ser inteligente?

– Você nem escuta nada. Na aula. Mas entende tudo. Acho até que melhor que Pittney. Eu só fico olhando até meu cérebro explodir.

– Você está falando da aula de matemática?

Ele resmunga um barulho afirmativo.

– Mas eu não sabia que você gostava de matemática.

– E não gosto, idiota, mas preciso. Carpintaria. Aprendizagem.

Conversamos enquanto a chuva cai sobre nós, levando embora o suor e o sangue. Ao final da conversa, não sei se ele prefere manteiga de amendoim ou Vegemite[5] com torrada, quantos irmãos ele tem ou o nome do cachorro dele. Afinal, não somos amigos, e não fico totalmente à vontade com a ideia de Jayzo lidando com ferramentas afiadas, mas é um cessar-fogo, e me ouço dizendo que posso ajudá-lo com as aulas de matemática. Se ele passar tanto tempo estudando quanto passa intimidando alunos e aterrorizando professores, já será um bom começo.

Eu me levanto. Dói. O corpo todo.

– Sinto muito pelo seu nariz – digo, vestindo meu paletó encharcado.

– Acontece – diz ele, dando um tapinha amigável no lugar onde seu soco acertou meu rosto.

Eu dou uma estremecida.

– Banana – diz ele, sorrindo para mim pela primeira vez. – Vê se amarra o seu cadarço.

• • •

De volta lá dentro, o pessoal já comeu pizza, bebeu água, dançou e, por incrível que pareça, tudo parece mais ou menos como um baile de escola bem organizado deveria ser. A galera está se divertindo. De verdade. Estelle me evita quando eu entro, mas fico aliviado ao ver que ela está bem o bastante para ficar de pé e dançar. Janie me dá uma virada de olhos como quem diz "coitadinho", enquanto acho que Estelle ainda não me renegou publicamente. Mas haverá tempo de sobra para isso amanhã.

O som está incrível. Todo mundo está dançando. É impossível não dançar, e tudo graças a Em. Então eu danço um pouco, dolorido, cansado, molhado da chuva e sem camisa. Eu me deixo

5. Marca de pasta de untar à base de extratos de levedura, muito popular na Austrália e na Nova Zelândia. (N.E.)

dissolver naquele mar de gente suando e gritando, pulando com a batida da música. E consigo o que queria: passar despercebido por um momento.

Em muda a batida e toca uma versão lenta de uma música que eu não conheço, mas que tem o efeito de formar casais e fazer o resto do pessoal se abraçar e dançar juntinho em pequenos grupos. Em olha nos meus olhos e faz um gesto com as mãos como quem diz "cadê ela?". Eu dou de ombros, e ela faz um gesto de quem está chorando, cheia de compaixão. Sim, é basicamente isso.

Depois do que deve ser o relacionamento mais rápido da história dos recordes, tenho de encarar a dura realidade: pisei na bola com Estelle. Eu a traí. E ela sabe. Acabou. E agora, apesar de ela com certeza se opor fortemente, terei de levá-la para casa.

Capítulo 30

Não é nada fácil levar Estelle para casa. Ela passa mal três vezes, num estado que se alterna entre o mau humor extremo e a surpresa total.

– A pizza estava estragada – ela diz. – Por isso estou passando mal.

– Você está bêbada – diz Janie, com toda a paciência, pela milésima vez.

– Que coisa mais rudícula... vesícula... ridícula. Eu nem bebo. Eu tomei uns dois drinques. Três. Talvez quatro.

– Metade do copo era vodca – digo. – E eu avisei vocês.

– Beleza, ô sabe-tudo – responde Estelle. – Vou lhe contar uma novidade: você não é. Inteligente.

Ela se vira para Janie:

– Ele leu meus diários. E isso não é legaaaaal.

– Não – concorda Janie. – Dan não é um cara legal.

– A gente não pode fazer isso com um amigo. Nuuunca.

Janie fica pensando.

– Bom, para falar a verdade, eu ficaria tentada. Se eu gostasse da pessoa, e se eles estivessem ali, dando sopa.

– Mas... e aquele negócio de tratar os outros como se quer ser tratado?

– Pode ser, mas eu não tenho diário, então não se aplica a mim – Janie responde.

– Mas ele era tããão lindo, tããão legal. Mas não era naaada. Ele é só um mentiroooso – diz Estelle. – Ele era o meu menino do CD.

Tento acreditar que houve um tempo em que Estelle me achava lindo e legal, mas não parece real.

– E por que menino do CD? – pergunto, sem esperar uma resposta de verdade.

Janie fica com dó. Ela fala "meninanês" e decifra tudo depois de um momento de reflexão.

– Então, música lembra CD, que também são as iniciais do seu nome, ao contrário, e vocês gostam do mesmo tipo de música, ou pelo menos ela achava que sim. Talvez você só estivesse espionando as coisas dela para fazer com que ela se interessasse...

– Mas não foi isso. É verdade. A gente gosta do mesmo tipo de música. Na real.

– Pois é, mas acho que isso não vai fazer muita diferença agora – diz Janie.

– Cadê aquela camisa legaaal que eu arrumei pra você? – Estelle quer saber.

– Perdi numa briga – respondo.

– Tá vendo? Brigando! Mas não é inteligente mesmo – diz ela.

Janie e eu seguimos em frente. Nossos dez minutos de caminhada até em casa se transformam em 15. O bolo vai virar cinzas se a gente continuar nesse ritmo.

Estelle decide sentar para descansar.

Eu tenho uns dois minutos para tirar o bolo do forno. Ou estou morto. Bom, já estou três quartos morto mesmo. Perco a paciência.

– Levanta, ou o bolo vai queimar e vou ficar na merda e vai ser tudo culpa sua!

Estelle fica de pé num segundo, com outro pique.

– *Não queima bolo não*. Você deveria ter falado pra gente. Tá vendo? Não é inteligente, não – diz ela, e sai correndo. Janie e eu vamos atrás.

Estou rezando para a minha mãe não ter chegado em casa mais cedo. Sem chance de Estelle conseguir subir na árvore nesse estado.

A gente entra correndo na cozinha bem na hora em que o cronômetro do forno começa a apitar. Howard dá um bocejo alto, alonga as costas, abana o rabo e vem falar oi.

Está um cheiro gostoso na cozinha, quentinho e com um toque de fruta. Mas tirar o bolo do forno a salvo com Estelle assim não é fácil. Bolos de escala industrial são extremamente pesados, dez vezes mais pesados que bolos normais.

Então pego as luvas gigantes e estou tentando manobrar o bolo gigante para fora do forno e colocá-lo sobre a mesa de madeira num movimento único e ágil. Mas Estelle está bem no caminho.

– Como você foi capaz disso? Como foi capaz quando era o meu vizinho lindo? Hum, que cheiro bom.

Janie tira Estelle do caminho e eu coloco o bolo sobre a mesa com segurança. Pelo menos consegui fazer uma coisa certa. Com muito mau humor, faço café, na esperança de deixar Estelle um pouco mais sóbria antes da escalada pelo alçapão do sótão, enquanto Janie começa a empurrar Estelle em direção ao meu quarto – isso depois de a termos convencido de que ela não pode voltar para casa pela porta da frente.

– Mas eu tenho a chave – ela diz.

– Mas hoje você terá de voltar para casa pelo sótão. Porque sua mãe e seu pai não sabem que você saiu.

Quando a ficha finalmente cai, ela começa a sussurrar.

– Não conta nada pra ninguém. Porque eles vão botar nós duas de castigo. Para sempre. Eles vão matar a gente se alguém descobrir.

– É isso mesmo – respondo.

– Vamos subir na árvore – ela diz, indo para a porta.

– Tudo bem, minha mãe ainda não chegou; vamos subir a escada.

– Mas eles vão saber – insiste ela, indo para a porta de novo.

Janie balança a cabeça sem conseguir acreditar e diz em voz baixa:

– Se você se arrependeu do lance da confissão, acho que ela não se lembrará de muita coisa mesmo amanhã.

– Mas não consigo.

– Bom, você é quem terá de aguentar – diz ela.

Não sei como, Estelle consegue pegar uma faca e vai direto para o bolo. Janie tira a faca da mão dela bem a tempo.

– Graças a Deus que você nunca bebe; não aguento mais isso.

• • •

Lá no quarto, depois de fazer Estelle beber o máximo de café, precisamos de porções iguais de persuasão e força (minha) para empurrar e (de Janie) para puxar Estelle pela escadinha do sótão. Lá em cima, ela decide que deveria dormir no sótão, então precisamos persuadi-la de novo e meio que carregá-la para o quarto. Pelo menos chegamos até lá descendo uma escada dobrável decente, que Estelle exige que a gente guarde de novo, apesar do fato de que vou precisar dela de novo em alguns minutos. Nós fazemos a vontade dela. Não faz sentido discutir com Estelle nesse estado.

O quarto dela é incrível. Como o restante da casa, parece uma foto de revista em 3D – tudo supermoderno e muito diferente do sótão. Ela tem uma cama de casal sobre uma plataforma. Uma porta leva a um closet, e outra, ao banheiro.

Bem quando a gente estava pensando que tinha finalmente conseguido, e sem ninguém ter visto nada, ouvimos as vozes dos pais de Estelle do lado de fora da porta. Nós congelamos, olhando uns para os outros e segurando a respiração. Estelle até fica sóbria com esse choque. Ou talvez o café esteja finalmente fazendo efeito. Pelo jeito, Vivien acabou de chegar em casa depois da inauguração e Peter está dizendo para ela falar baixo porque as meninas estão dormindo.

– Até parece. Elas nunca vão dormir antes da meia-noite quando a Janie está aqui.

– Não ouvi nem um pio a noite inteira.

– Só vou ver se elas estão acordadas.

Nós três temos a mesma ideia no mesmo instante. Janie apaga a luz, e, em dois segundos, estamos todos debaixo da colcha da cama.

Quando a porta se abre, a luz que vem do corredor brilha por entre as costuras da colcha. Estou tentando respirar bem baixo e rezando para não espirrar. As vozes deles estão bem perto.

– Meninas, vocês estão acordadas? – pergunta Vivien, num sussurro quase inaudível.

– Vivien... eu falei para você...

Janie consegue soltar um ronco bem convincente e, depois de os dois saírem na ponta dos pés, a porta se fecha. As vozes estão abafadas de novo, mas ouvimos Vivien dizendo:

– Preciso perguntar a Estelle onde é que ela arrumou isso.

– Isso pode esperar até amanhã.

Eles vão embora e, por milagre, não pegam a gente.

Estelle e Janie caem numa gargalhada silenciosa, fazendo a cama tremer, chorando e soltando uns roncos de tanto rir.

– Vou fazer xixi na calça – Janie diz, enquanto sai correndo para o banheiro.

Assim, Estelle e eu estamos sozinhos na cama. Meus sonhos mais malucos se tornam realidade. Mas com duas diferenças: sinto cheiro de vômito e Estelle me odeia. Eu me levanto, abro a escadinha dobrável e vou para o sótão.

– Até mais.

– Ahã, falou.

Capítulo 31

Até parece que vou conseguir dormir agora, então saio para o quintal com uma lanterna e uma faca para acabar com as provas do crime. Espanto uns gambás no jardim enquanto corto a escada de corda do tronco da árvore. Desamarro a corda e a enrolo ao redor do corpo, como se fosse um montanhista. Quando volto para o chão, as nuvens já se abriram, e a lua cheia projeta as sombras de Oliver e Em na grama pintada de preto e branco.

– Opa! E aí, cara? – cumprimenta Oliver. Ele está brincando. Está falando desse jeito pseudo-hipster só para fazer-me sorrir.

– Valeu por hoje à noite. E sinto muito pela bebedeira.

– Já vi coisa muito pior – responde Em. – Você foi o único que se meteu em briga, e todo mundo foi embora à meia-noite. Trabalho fácil. O irmão de Dannii trouxe a caminhonete dele, e as meninas levaram todas as garrafas vazias.

– E o que aconteceu com você e Estelle? – pergunta Oliver.

– Foi o relacionamento mais curto da história.

– Ah, mas vai ficar tudo bem amanhã.

– Ela vai ficar sóbria. Mas não vai me perdoar.

– Mas por quê?

– Você não quer saber.

– No dia seguinte, tudo sempre parece melhor – diz Em.

Talvez isso seja verdade para algumas coisas, mas o fato de eu ter lido os diários de Estelle parecerá ainda pior quando o sol nascer.

Sob o desastre hemorrágico do meu problema com Estelle, tem um monte de coisas para resolver. Penso na minha lista: tirei o bolo do forno; as meninas chegaram em casa sem ninguém ver. Não rolou nada de muito terrível no baile. Howard precisa de uma cirurgia, mas não há nada que eu possa fazer a respeito disso, a não ser comprar um bilhete de loteria. Minha mãe chegará em casa logo. Sozinha. Deve ser muito estranho depois desses anos todos indo para casa com o meu pai…

É isso. Meu pai. Desde aquela conversa profunda com Estelle, o presente dele está sempre vindo à tona. Eu já ignorei esse presente por tanto tempo! Será que consigo encará-lo hoje à noite?

Vou esperar.

Puxo a escadinha de corda pela janela para o interior do meu quarto e a jogo dentro do guarda-roupa.

Arrasto a cama de volta para o lugar dela.

Coço as orelhas de Howard. Ele mexe as duas, irritado. Ele não gosta de ser usado como mecanismo de procrastinação.

Vou para o banheiro.

Tomo um banho e dou uma olhada nos meus machucados: rosto, costela, ombro. Escovo os dentes. Pelo menos não quebrei nenhum, mas a parte de dentro da minha boca está inchada e cortada.

Tiro a poeira do presente e o coloco sobre o criado-mudo.

Olho para ele, e minhas mãos tremem. Deve ser por causa da briga.

Não é como se fosse uma bomba.

Desembrulho o presente. Lá dentro tem um pacote e um envelope.

No pacote há um iPod.

E no envelope, uma carta.

Talvez eu tenha passado uma hora com a carta aberta sobre o meu joelho, talvez cinco minutos.

Por fim, acho que leio a carta mais rápido que os diários de Estelle. Passo voando pelas páginas, engolindo trechos e devorando parágrafos com um apetite tão grande que acaba me consumindo.

...entendo... não quer falar comigo... muito idiota... não saber... gay... sinto muito... frio e triste... como é que não pude... guardei tudo num quarto separado do restante da minha vida... como... meus pais malucos... porque... sua mãe... melhor amiga... a amei, ainda amo... divertido... tão feliz... grávida... então é assim que acontece... os dois tão empolgados... você, nosso querido... a melhor coisa do mundo... você aceita... sexualidade diferente... mentira... mais uma verdade pela metade... nossa relação... sempre verdadeira... partindo o meu coração... você deve estar se sentindo... abandonado... envergonhado... como se eu fosse um idiota e um falso... não tão simples assim... sua vida boa... mudar de escola... coisa boa... como eu perdi a fortuna da família... dívidas demais... meus erros... idiota... pessoas em quem eu confiava... decepcionei muita gente... quando você estiver pronto... entendo... tempo... te amo... debaixo da raiva toda... você sabe... mamãe não ficou muito feliz... o melhor para todos nós... música para você...

Começo a respirar de novo, e diminuo o ritmo. A carta termina assim:

Não estou dizendo que isso seja uma desculpa para o que aconteceu, Dan, mas espero que comece como uma explicação. Preciso conversar com você, então ligue para mim quando estiver pronto para isso, nem que seja só para gritar comigo. Qualquer forma de contato será bem-vinda.

Vamos ficar bem, todos nós. A gente só precisa achar um formato novo para nós.

Com amor,

Papai.

Que saudade do meu pai!

Vou para a minha cama e leio a carta três vezes, agora com calma. E então me lembro das coisas que mais amo no meu pai – a honestidade, a confiança, o carinho e o bom humor.

Fuçando debaixo da cama, encontro o diário que comecei a escrever quando a gente se mudou para cá e, na última página, a lista de coisas que eu achava impossíveis de acontecer.

Capítulo 32

A lista, de novo:

1) Beijar Estelle. Inacreditável, mas aconteceu. E consigo me lembrar de cada momento. Mas nunca mais vai rolar de novo.
2) Arrumar um emprego. Consegui. Não é que esteja ganhando dinheiro suficiente para salvar a gente, se o lance dos bolos de casamento não der certo, mas estamos conseguindo seguir em frente. E agora eu sei como limpar uma mesa. Foi só um momento de ansiedade maluca e sonhos de grandeza quando achei que era minha responsabilidade sustentar a gente.
3) Dar uma animada na minha mãe. Como é que não percebi que isso é assunto dela? Eu a ajudei a arranjar um emprego, e ela começou a se animar sozinha.
4) Não é que eu queira ser legal nem famosinho na escola, mas vou tentar não ser um nerd/loser completo. Isso se provou possível, com muita ajuda. Acabei organizando o baile do nono ano. E, graças a Em, foi demais. Graças a Oliver, agora eu tenho roupas e um cabelo mais decentes. Graças ao meu medo de apanhar, estou em forma e mais forte. Faz um tempo que não desmaio. Briguei com Jayzo e sobrevivi triunfantemente como o tutor de matemática do moleque. Hummmm.

5) Eu deveria falar com meu pai. Ele virá para cá em três semanas. Ainda um pouco assustador, mas, com certeza, não mais impossível.
6) Ser bom. Como meu pai. Sou mesmo um idiota que só sabe julgar os outros. Agora já menti duas vezes para ajudar minhas amigas a fazer o que eu achava que elas tinham o direito de fazer. Peguei roupas na seção de Achados e Perdidos da escola. Fiquei ouvindo escondido a conversa da minha mãe com as amigas dela para tentar descobrir o que estava acontecendo na nossa vida. Também fiquei ouvindo escondido a conversa de Estelle e Janie quando elas estavam falando sobre mim. Li os diários de Estelle, desesperado para conhecer uma pessoa que eu decidi que amava, mesmo antes de falar com ela. E então leio tudo de novo! Bom? Acho que o melhor a fazer agora é resolver uma coisa por vez, enquanto sigo aos trancos e barrancos.

Capítulo 33

Meu iPod está carregado e já com uma playlist: músicas para Dan. Meu pai escreveu os nomes das músicas e por que gosta delas. A primeira é da época em que ele tinha a minha idade, "Walking on the Moon", do The Police. Passos gigantes.

Enquanto ouço a música, chego à conclusão de que tenho de ir ao sótão uma última vez. Tem uma coisa que preciso dar a Estelle. Nada de desculpas, só o começo de uma explicação.

Subo a escadinha e fico sentado à escrivaninha dela no sótão por um tempão, decidindo o que meu bilhete deveria dizer. No final, escrevo apenas uma única frase. E finalmente posso arrastar meu corpo dolorido para a cama.

• • •

Acordo me balançando numa árvore, amarrado por um pé só, e tentando me soltar para conseguir chegar à igreja e fazer o sino parar de tocar, para que Estelle e Janie consigam sair do elevador a tempo… Mas o sino continua batendo com tudo por várias camadas de consciência. É a nossa campainha, o carrilhão Big Ben.

Pulo da cama sem pensar na briga e sinto meu rosto, meu ombro, minhas costas e cada uma das costelas berrando em protesto enquanto vou mancando até a janela e abro a cortina, tentando descobrir que horas são. Parece que ainda é cedo. Coloco uma calça e uma blusa de moletom, paro no banheiro para garantir que os rabiscos disfarcem os piores sinais da briga – um pouco –, e vou lá para baixo, morrendo de fome.

Ali está na cozinha. Mal tenho tempo de registrar esse fato bizarro quando minha mãe entra, trazendo Vivien.

E não é que pegaram a gente, no final?

Agora vou ter de encarar a bronca. Todas as afirmações falsas que fiz sobre ser um amigo responsável... bom, naquela hora, eu estava sendo sincero.

Olho para as minhas mãos estouradas. Como é que vou explicar isso?

– Como você explica isso? – pergunta Vivien.

Mas o tom dela está errado. Ela está curiosa, animada. Olho para cima. Minha mãe está servindo café, na boa. Vivien está olhando para a palma da própria mão.

– Sério, onde você arrumou isso? – ela pergunta.

Fico pensando em bater na minha cabeça como aqueles personagens de desenho para ver se estou mesmo ouvindo bem. Ela não deveria estar exigindo saber por que eu desobedeci as instruções específicas dela e ajudei Estelle a desafiar o castigo?

Ela está mostrando a mão aberta para mim. É aquele bichinho entalhado em madeira que dei a Estelle.

– Adelaide deixou para mim – diz minha mãe, distribuindo café para todo mundo.

– É um *netsuke* tão bem preservado que poderia ir para o museu. Eu teria pegado emprestado para a exposição, se soubesse antes – diz Vivien.

– Mas como é que foi parar na sua mão? – pergunta minha mãe.

– Dan, você deu isso a Estelle. É isso mesmo? – Vivien questiona.

– Hum, é.

O que Ali estava fazendo aqui? E de terno? Ele me oferece uma torrada. Eu aceito.

– Quando cheguei em casa ontem à noite, lá estava, sobre a mesa da cozinha, em cima do livro de Estelle. Perguntei a Peter: "De onde veio isso?". E ele disse que era de Estelle, e fui lá para o quarto, porém as meninas já estavam dormindo, claro. Mas, de qualquer maneira, isso é muito emocionante!

– Eu tenho mais um monte – diz minha mãe.

Vivien arregala os olhos.

– Você sabe que eles valem uma fortuna?

Eu arregalo os olhos.

– Eles são enfeites japoneses antigos usados em cintos – diz ela. – Marfim entalhado.

– Jura? – pergunta minha mãe. – Eu devo ter pelo menos uma dúzia.

– Dezesseis, contando esse – digo. – Mas esse é de Estelle.

Vivien passa o enfeite para mim.

– Não é, não. É valioso demais para dar de presente.

Talvez Ali tenha bebido demais e minha mãe o tenha deixado dormir no sofá.

É, deve ser isso.

Vivien se levanta.

– Se você quiser vender esses objetos, posso colocá-la em contato com uma boa casa de leilões. Eles deveriam ir a leilão internacionalmente, se você quiser conseguir um bom preço.

Mas tenho certeza de que Ali não bebe, então o que está rolando?

– Obrigada, Vivien. E quando você diz uma fortuna...

Howard olha para cima, prestando atenção na conversa, esperando que a gente se lembre da grande cirurgia.

– Se os outros forem bons como esse, vai ser o bastante para tirar umas férias longas e não se preocupar muito se o seu negócio não der certo.

Minha mãe se senta de repente.

Ali se levanta, beija minha mãe na testa (!) e diz:

– Tenho de abrir o café.

Ele vai embora. Ele acabou mesmo de dar um beijo na minha mãe?

Vivien se levanta, pronta para ir também.

– Enquanto isso, você deveria fazer seguro para eles e guardá-los num cofre – ela diz.

– Boa ideia – responde minha mãe.

Minha mãe e eu ficamos num silêncio chocado por um ou dois minutos.

– Howard precisa de uma cirurgia – digo.

– Eu sei.

– Eu não queria preocupar você – dizemos ao mesmo tempo.

– Eu o levei ao veterinário. Eu tentei economizar um dinheiro para isso, mas então a porcaria do meu dente... – Ela começa a chorar. E consigo colocar meus braços ao redor dela e dar um abraço na minha mãe.

– Não estou triste, Dan, só aliviada. Esse negócio dos bolos de casamento não vai dar certo. Já espantei mais clientes do que você imagina. E, com isso, posso desistir. Muito obrigada por tirar aquilo do forno, aliás – ela diz, acenando com a cabeça na direção do bolo da meia-noite.

– E como foi ontem à noite?

Inclino a cabeça num sinal afirmativo.

– Tudo bem.

– E você? – Noto então que ela ainda está usando o mesmo vestido de ontem à noite. – A festa foi boa?

– Foi. Ainda não fui dormir. Ali e eu ficamos acordados a noite inteira conversando. A gente decidiu que provavelmente vai conseguir trabalhar juntos e namorar ao mesmo tempo.

Como é que é?

Ela sorri ao ver minha cara de choque. Ela parece mais jovem e bonita, e muito cansada.

– Vai ser um pouco estranho demais para você?

– Não. Quer dizer, sim, mas acho que não.

– Preciso dormir. E acho que você também – ela diz.

Como ela pode estar calma assim? Acho que ela ainda está em choque, como eu.

E acho que dormi só umas três horas, então não vou discutir.

Fecho a porta do meu quarto e apoio a testa nela. Minha mãe e Ali? Minha mãe e qualquer cara? Preciso me acostumar. Nas atuais circunstâncias, meus pais com certeza não iriam ficar juntos de novo mesmo.

Fico distraído pela ideia terrível de que não sei mais onde está a caixa de *netsukes*. Eu a encontro no fundo do guarda-roupa e a deixo lá. Só quando me viro é que percebo que tem uma menina dormindo na minha cama. Uma menina de pijama listrado dormindo e roncando baixinho.

Capítulo 34

Alguém esteve dormindo na minha cama, e ainda está lá. Eu toco sua mão, e ela abre os olhos de uma vez e se senta, resmungando de leve.

– Não dormi muito a noite passada – diz ela.

– Nem eu.

– Vomitei mais um pouco, então tomei um banho, fui para o sótão para me sentir melhor, e achei isto na minha escrivaninha. – Ela está segurando o meu diário e o bilhete que deixei para ela.

– Eu não espero que tudo fique bem só porque deixei você ler meu diário também – digo.

– Janie disse que eu não fui muito legal ontem à noite. Desculpe.

Ela está pedindo desculpas para mim?

– Ela disse que você teve muita paciência e fez de tudo para me levar para casa em segurança, sem se importar com quanto eu xinguei e enchi o seu saco. Heroico – ela diz.

Janie estava me defendendo para Estelle?

– Nem tanto.

– Desculpe ter deitado na sua cama, mas estava tão quentinha – Estelle comenta.

– Quando você quiser.

– Você me beijou.

– Beijei.

– Pareceu... O que deu em você para fazer aquilo... tão de repente?

Dou de ombros.

– Eu precisava beijá-la.

– Achei que teria de beijar você primeiro. Eu pensei que você fosse tímido demais.

– Eu me lembrei do seu bilhete.

– Que bilhete?

– Este bilhete. – Fuço na minha escrivaninha. Não está lá.

– Você quer dizer este bilhete aqui? – Ela está segurando o bilhete também. – Eu ia escrever no verso dele, mas caí no sono. Por que você guardou isto?

Ela lê o bilhete em voz alta, confusa:

– Devo muito a você!?

Devo muito? E não "Gosto muito de você"? Devo?

Um "Aahhh..." do tamanho de um meteorito vem voando na minha direção e aterrissa na minha cabeça. Eu não entendi a letra dela. Umas mil vezes.

Mas decido não compartilhar meu erro. Ainda.

Ela olha de novo para o bilhete.

– Eu sempre falo "beijos". Seria um motivo bem fraquinho para tudo isso.

– Acho que era tudo de que eu precisava.

Então ela desdobra o bilhete que escrevi para ela. Meu bilhete de uma frase só. Minha última esperança.

– Então eu li isto aqui – diz ela – e depois li o seu diário. – Os olhos dela se enchem de lágrimas. Ela está triste, e por mim. – As férias inteiras... o pessoal catalogando os móveis... Então eu meio que entendi, só um pouquinho, por que você fez isso.

Passo-lhe um lenço de papel, e ela assoa o nariz.
Meu bilhete dizia: "Eu estou tão sozinho"!
Mas não mais.

Capítulo 35

– Minha mãe me contou sobre a bolada. Como vocês vão gastar tudo?

– Com a cirurgia de Howard, para começar.

Ele abana o rabo, ainda morrendo de sono.

– Adelaide salvou vocês.

– É, mas a gente já tinha começado a se salvar, mais ou menos.

– Você quer namorar comigo, Dan?

– Você sabe que eu quero. Mas você quer namorar comigo? Depois do que eu fiz…

Ela me olha por um bom tempo e então estende a mão, e eu me sento ao lado dela.

– Tem duas coisas. Número um, eu acho que você não estava sendo você mesmo, você estava triste e sozinho. E, número dois, você é a única pessoa para quem eu quero contar tudo aquilo mesmo. Não, são três coisas. Na lista na parte de trás do seu diário, você colocou me beijar em primeiro lugar. – Ela abre aquele sorriso de um quilômetro de largura. – Boa ideia.

Ela se apoia em mim, descansando a cabeça no meu ombro como se já tivesse feito isso 1 milhão de vezes. Eu me abaixo um pouco e beijo a cabeça dela. O cabelo dela tem cheiro de limão. Ela olha para mim, e eu a beijo de novo. Ela interrompe o beijo, olhando para o meu rosto.

– Você acha que essa tinta um dia vai sair do seu rosto?

Agradecimentos

Gostaria de agradecer de coração a Greer Clemens, Kaz Cooke, Claire Craig, Jack Godsell, Philippa Hawker, Julia Heyward, Catherine Hill, Simmone Howell, Penny Hueston, Julie Landvogt, Nigel Langley, Louise Lavarack, Violet Leonard, Angus McCubbing, Joel Naoum, David Parsons, Jenny Sharp, George Wood, Zoe Wood, e especialmente a Jamie Wood.

E agradeço também a Varuna, a Writers' House, The Eleanor Dark Flagship Fellowship, Iola Mathews, Victoria Writers' Centre e ao National Trust for the Glenfern Writers' Studios, e a Readings Foundation for the Glenfern Fellowship.